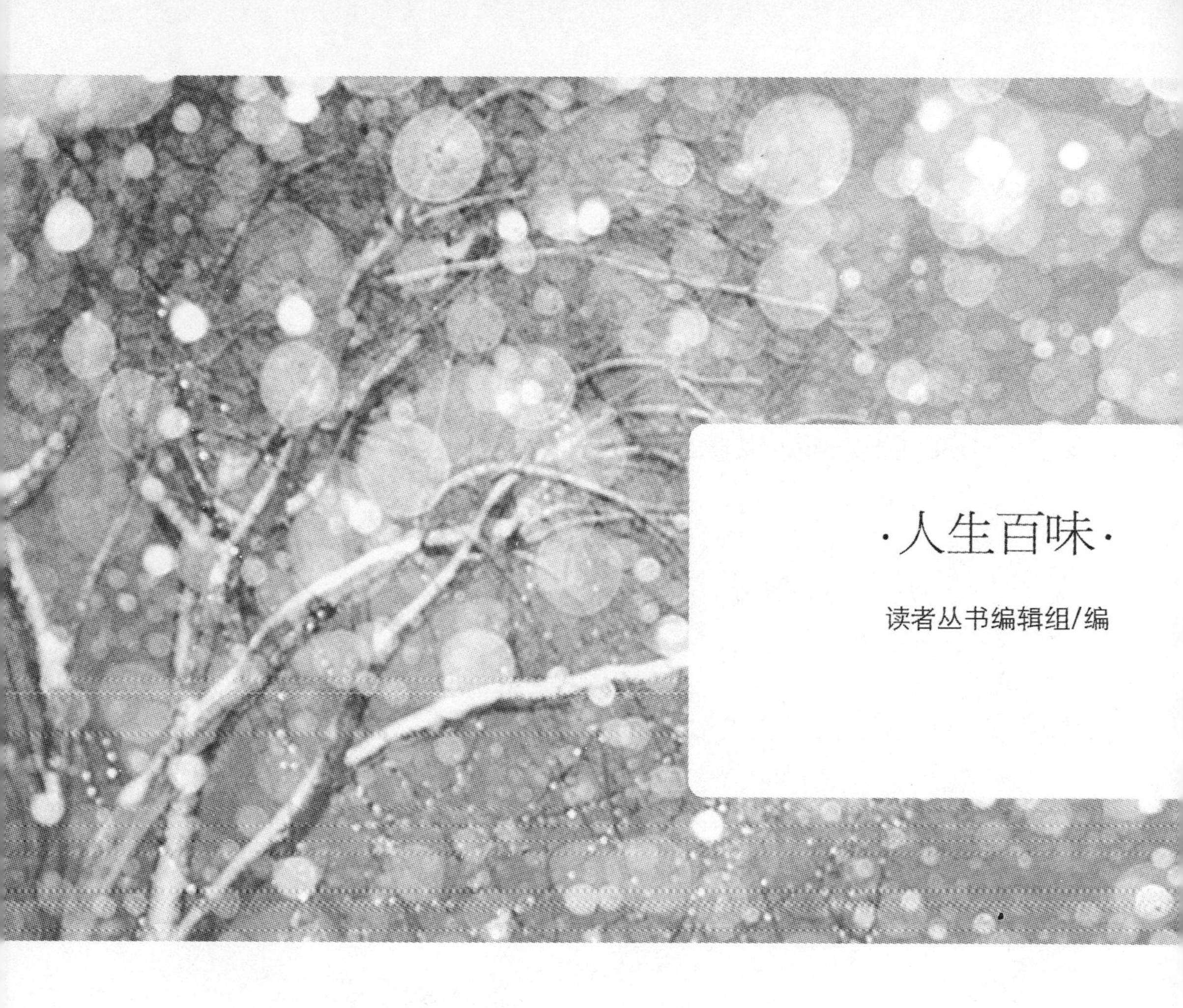

·人生百味·

读者丛书编辑组/编

读者出版集团
DUZHE CHUBAN JITUAN
甘肃人民出版社

图书在版编目（CIP）数据

人生百味/读者丛书编辑组编. —兰州：甘肃人民出版社，2011.1（2011.3重印）

ISBN 978-7-226-03879-6

I.人… II.读… III.小品文—作品集—世界 IV.I16

中国版本图书馆CIP数据核字（2009）第170226号

责任编辑：马 强

封面装帧：弘文馆·柴华

人生百味

读者丛书编辑组 编

甘肃人民出版社出版发行

（730030 兰州市南滨河东路520号）

各地新华书店经销 三河市祥达印装厂印刷

开本700毫米×1000毫米 1/16 印张15 插页2 字数231千

2011年1月第1版 2011年3月第2次印刷

印数：6 501~23 500

ISBN 978-7-226-03879-6 定价：24.00元

目 录
CONTENTS

一、心灵之旅

二、披沙拣金

三、剑胆琴心

四、相与之道

五、随感杂评

一、心灵之旅

给人生加个意义

毕淑敏

那是一所很有名望的大学。从我的演讲一开始就不断地有纸条递上来。纸条上提得最多的问题是——“人生有什么意义？请你务必说真话，因为我们已经听过太多言不由衷的假话了。”

我念完这个纸条以后台下响起了掌声。我说你们今天提出这个问题很好，我会讲真话。我在西藏阿里的雪山之上，面对着浩瀚的苍穹和壁立的冰川，如同一个茹毛饮血的原始人，反复地思索过这个问题。我相信，一个人在他年轻的时候，是会无数次地叩问自己——我的一生，到底要追索怎样的意义？

我想了无数个晚上和白天，终于得到了一个答案。今天，在这里，我将非常负责地对大家说，我思索的结果是人生是没有任何意义的！

这句话说完，全场出现了短暂的寂静，如同旷野。但是，紧接着就响起了暴风雨般的掌声。

那是我在演讲中获得的最热烈的掌声。在以前，我从来不相信有什么“暴风雨”般的掌声这种话，觉得那只是一个拙劣的比喻。但这一次，我相信了。我赶快用手做了一个“暂停”的手势，但掌声还是绵延了一段时间。

我说，大家先不要忙着给我鼓掌，我的话还没有说完。我说人生是没有意义的，这不错，但是我们每一个人要为自己确立一个意义！

是的，关于人生意义的讨论，充斥在我们的周围。很多说法，由于熟悉和重复，已让我们从熟视无睹滑到了厌烦。可是，这不是问题的真谛。真谛是，别人强加给你的意义，无论它多么正确，如果它不曾进入你的心理结构，它就永远是身外之物。比如我们从小就被家长灌输过人生意义的答案。在此后漫长的岁月里，谆谆告诫的老师和各种类型的教育，也都不断地向我们批发人生意义的补充版。但是有多少人把这种外在的框架，当成了自己内在的标杆，并为之下定了奋斗终身的决心？

那一天结束讲演之后，我听到有同学说，他觉得最大的收获是听到一个活生生的中年人亲口说，人生是没有意义的，你要为之确立一个意义。

其实，不单是中国的年轻人在目标这个问题上飘忽不定，就是在美国的著名学府哈佛大学，有很多人在青年时代也大都未确立自己的目标。我看到一则材料，说某年哈佛的毕业生临出校门的时候，校方对他们做了一个有关人生目标的调查，结果是27%的人完全没有目标，60%的人目标模糊，10%的人有近期目标，只有3%的人有着清晰长远的目标。

25年过去了，那3%的人不懈地朝着一个目标坚韧努力，成了社会的精英，而其余的人，成就要相差很多。

人生自然的节奏

林语堂

在我们的生活里，有那么一段时光，个人如此，国家亦如此，在此一段时光之中，我们充满了早秋的精神。这时，翠绿与金黄相混，悲伤与喜悦相杂，希望与回忆相间。在我们的生活里，有一段时光，这时青春的天真成了记忆，夏日茂盛的回音在空中还隐约可闻。这时看人生，问题不是如何发展，而是如何真正生活；不是如何奋斗操劳，而是如何享受自己拥有的那宝贵的刹那；不是如何去虚掷精力，而是如何储存那股精力以备寒冬之用。这时，感觉到自己已经到达一个地方，已经安定下来，已经找到自己心中向往的东西。这时，感觉到已经有所获得，和以往的堂皇茂盛相比，是可贵而微小，虽微小而毕竟不失为自己的收获，犹如秋日的树林里，虽然没有夏日的茂盛葱茏，但是所据有的却能经时而历久。

我爱春天，但是太年轻。我爱夏天，但是太气傲。所以我最爱秋天，因为秋天的叶子颜色金黄，成熟，丰富，但是略带忧伤与死亡的预兆。其金黄的丰富并不表示春季纯洁无知，也不表示夏季强盛的威力，而表示老年的成熟与蔼然可亲的智慧。生活的秋季，知道生命上的极限而感到满足。因为知道生命上的极限在丰富的经验之下，才有色调儿的和谐，其丰富永不可及，其绿色表示生命力与力量，其橘色表示金黄的满足，其紫色表示顺天知命与死亡。月光照上秋日的林木，其容貌枯白而沉思；落日的余晖照上初秋的林木，还开怀而欢笑。清晨山间的微风扫过，使颤动的树叶轻松愉快地飘落于大地，无人确知落叶之歌，究竟是欢笑的歌声，还是离别的眼泪。因为是早秋的精神之歌，所以有宁静，有智慧，有成熟的精神，向忧愁微笑，向欢乐爽快的微风赞美。

没有一种草不是花朵

李雪峰

那时我们还居住在深山里的乡下，我还是个十五六岁的孩子。春天，小草刚被融雪洗出它们嫩嫩的芽尖时，老师告诉我们，学校准备组织我们搭车到百里外的县城去参加作文竞赛。我们一听又兴奋又担忧，兴奋的是我们能够坐上大汽车去县城里看看，担忧的是，我们这群山里的孩子，作文能赛过城里的学生吗？

头发花白的老校长看出了我们的忧虑，他就说："你们常常上山下田，谁能说出一种不会开花的草？"

不会开花的草？蒲公英是会开花的，它的花朵金黄金黄的，秋天时结满了降落伞似的小绒球；汪汪的狗尾草也是会开花的，它狗尾巴似的绿穗穗就是它的花朵；就连那些麦田里的荠荠草也是会开花的，它的花洁白洁白的，有米粒那么大，像早晨被太阳镀亮的一颗颗晶莹的露珠。我们想来想去，把每一种草都想遍了，可是谁也没有想出有哪一种草是不会开花的。我们想了半天都摇摇头说："老师，没有一种草是不开花的，所有的草都会开出自己的花朵。”

老校长笑了，说：“是的，孩子们，每一种草都是一种花，栽在精美花盆里的花都是一种草，而生长在田地边和山野里的草也是一种花啊。不论生活在哪里，你们和其他人一样，都是一种草，也都是一种花。记住，没有一种草是不会开花的，再美的花朵也是一种草！”

几十年过去了，当我从深山里的乡下走进都市里的大学，当我从乡下青年成为城市缤纷社会的一员，当我面对一束束流光溢彩的鲜花和一次次雷鸣般的掌声时，我从不自卑，也没有浮躁过。我总会想起老校长的那句话——没有一种草是不会开花的，而每一种花朵也是一种草。

一窗山海

吴韦材

人的生活目标，往往可以决定他对风景的看法。

就像有朋友所说的那样，山海只是一种供欣赏的风景，然而，每个人对山海的看法都不一样。

有些朋友，在看到远处的风景时，就会羡慕住在那里的人们，说他们幸福，能世世代代拥有好空气、天然的水、无污染的宽阔土地，还有纯天然的食物。向往遥远的风景，只不过是都市人一种用来松弛身心的精神瑜珈，尤其是在冷气房里、在令人十分疲倦的会议之后、在周末窗外下着暴雨刮着狂风而心里有点毫无着落的感觉涌来时，那种都市人常有的习惯性风景幻想，就会出现。

风景的虚实其实都在于个人自己的感受。

人生的许多事情也是如此。很多年轻人都有美好的理想，但是理想不能实现也无可奈何，在很少别的选择的境况下，只得渐渐承认现实，不久也就同而化之了。其实，我们心里从小就向往的风景，一直都处在它们该在的地方，关键只是自己是否有勇气接近它。

真要一窗适合自己的山海，除了你自己，真的，没人能给你。

每天都是恩赐

张小娴

曾经有一个女孩子跟我说，妈妈死后，她才知道做家务是多么辛苦。妈妈活着的日子里，她连衣服都不用洗。

当你发现人生无常的时候，你是否为自己拥有的一切而感谢上天?

我们有所爱的人，有爱我们的人；有父母的爱，兄弟姐妹、朋友和情人的爱，这是多么难能可贵。

有健康的身体，可以做自己喜欢做的事，吃自己喜欢的东西，这是多么幸福!

我们有睡觉的地方，有一个可以歇息的怀抱。

每天早晨醒来，可以呼吸一口新鲜的空气；可以看到蔚蓝的天空，还有朝露、晚霞和月光。这一切，原来不是应得的。

我们有一颗乐观的心灵，有自己喜欢的性格和外表，有自己的梦想，可以听自己喜欢的歌。这一切，都是恩赐。

当我们拥有时，我们总是埋怨自己没有些什么。当我们失去时，我们却忘记自己曾经拥有些什么。

我们害怕岁月，却不知道活着是多么可喜。我们认为生存已经没意思，许多人却在生死之间挣扎。

什么时候，我们才会为自己拥有的一切满怀感激?

我生命中最美好的时光

〔加拿大〕克姆普·乔　　胡敏　译

再过两天我就30岁了，但我却不安于踏入生命中的这个新十年，因为我担心我最美好的时光即将不再了。每天上班前去健身房做一下运动是我的习惯之一，而每天早上我也总能在那儿见到我的朋友尼古拉斯。他是一个已经79岁，但却十分矫健的老头。在这个有些特别的日子，当我和他打招呼时，他注意到了我没有像往日那样精神，就问我是否出了什么事。我就告诉了他我对进入30岁感到的困惑，因为我很想知道当我到他这个年纪时我又将怎样回顾自己的生命历程？于是我便问："什么时候是您生命中最美好的时光呢？"

尼古拉斯毫不犹豫地回答道："好吧，乔，对于你这个问题，正是我所能坦然回答的。"

"当我在奥地利还是孩子时，一切都被照料得很好，并在父母的细心呵护中长大，那是我生命中最美好的时光。

“当我进入学校学习我今天所了解的知识时，那是我生命中最美好的时光。

“当我获得第一份工作，重任在肩，拿到我努力所得的报酬时，那是我生命中最美好的时光。

“当我遇到了我的妻子而坠入爱河时，那是我生命中最美好的时光。

“二战爆发了，为了生存，我和妻子不得不离开奥地利。当我们一起安全地坐上了开往北美的轮船时，那是我生命中最美好的时光。

“当我们来到加拿大共同创建我们的新家时，那是我生命中最美好的时光。

“当我成为了一名父亲，看着我的孩子们成长时，那是我生命中最美好的时光。

“现在，乔，我79岁了，身体健康，感觉良好，而且依然深爱着我的妻子。所以，现在就是我生命中最美好的时光。”

像水一样流淌

张建伟

从小，他就有从大学中文系到职业作家的绚丽规划，然而，命运和他开了一个玩笑。

1955年，他的哥哥要考师范了，但是，父亲靠卖树的微薄收入根本无法供兄弟俩一起读书，父亲只好让年幼的他先休学一年，让哥哥考上师范后他再去读书。看着一向坚强、不向子女哭穷的父亲如此说，他立刻决定休学一年。不过，就是这停滞的一年，他和哥哥的命运，一个天上，一个地下。1962年，他20岁时高中毕业。“大跃进”造成的大饥荒和经济严重困难迫使高等学校大大减少了招生名额。1961年这个学校有50%的学生考取了大学，仅一年之隔，4个班考上大学的人数却成了个位数。结果，成绩在班上排前三名的他名落孙山。

高考结束后他经历了青春岁月中最痛苦的两个月，几十个日夜的惶恐紧张等来的是一个不被录取的结果，所有的理想、对前途和未来的憧憬在瞬间崩塌。他只盯着头顶的那一小块天空，天空飘来一片乌云，他的世界便黯淡了。他不知所措，六神无主，记不清多少个深夜，他从用烂木头搭成的临时床上惊叫着跌到床下。

沉默寡言的父亲开始担心儿子考不上大学，再弄个精神病怎么办，就问他："你知道水怎么流出大山的吗？"他茫然地摇摇头。父亲缓缓说道："水遇到大山，碰撞一次后，不能把它冲垮，不能越过它，就学会转弯，绕道而行，借势取径。记住，困难的旁边就是出路，是机遇，是希望！"父亲又说，"即便流动过程中遇见了深潭，即便暂时遇到了困境，只要我们不忘流淌，不断积蓄活水，就一定能够找到出口，柳暗花明。"

一语惊醒梦中人。

1962年，他在西安郊区毛西公社将村小学任教；1964年，他在西安郊区毛西公社农业中学任教。后来，又历任文化馆副馆长、馆长。1982年，他终于走出大山，进入陕西省作家协会工作。1992年，正是这40年农村生活的积累，使他写出了大气磅礴、颇具史诗意味的《白鹿原》。

他就是陈忠实。

后来有人问他："怎么面对困难与挫折？"老先生总淡淡地说："像水一样流淌。"

像水一样流淌，这是岁月积淀的智慧。遇见困难，努力了，无法消灭它，不如像流水一样，在大山旁边寻找较低处突围，依山而行。只要我们不忘努力，不断奔突，也一样能够走出困境，到达远方，实现梦想。

人生三象

雷抒雁

尼采以骆驼、狮子和婴儿比喻人生的精神阶段。

骆驼、狮子好懂。

骆驼，言其吃苦负重。人们总能看见“沙漠之舟”在干旱荒苦的沙漠戈壁艰难跋涉的形象。尼采以为人生先吃得苦，这很像中国古代儒家所言，“天将降大任于斯人也，必先苦其心志，劳其筋骨”。中国民间亦有劝孩子小时要学会吃苦的俗谚：“小时不晒背，老时必受罪。”少时吃苦，经历一些坎坷，强身健体之外，更强健“心志”，及至长时，遇到波折不至于脆弱。骆驼，是强者人生的第一台阶。

狮子之凶猛，也是人生之不可缺。骆驼最能吃苦，但不能厮杀。即使遇上狼一类的敌手，往往也难逃厄运。人生遇到的对手、敌手、挫折，实在是太多了，没有狮子一般的体魄、牙爪及勇气，实难应付。向狮子学习，应该不错。许多民族崇尚狮子，有的国家把狮子画在国徽上、国旗上。我们国家雕刻石狮用以镇宅显威，其传统至今不衰。

但是，尼采还要人们由猛狮再到婴儿。婴儿之软弱、无知，难道也要学吗？要学的！因为这是一个崭新的开始，一个最初的运动，一个神圣的肯定。

婴儿的可爱处在于：天真。这是人性的本真。没有伪饰，没有欺骗，没有恶意。记着你是婴儿，就是始终保持着没有污染的人性源头。

善忘。不是一切东西都得记住，许多事，忘了比记着好。忘了，可以从头开始，可以轻装前进。

无知。无知并非总是缺点。因为无知，才产生出无限的求知欲望，看见什么，就想问，就想学。人常说“满招损”，是劝人要留出求知的空间，常常跳进“无知状态”去看世界。

婴儿是人生的起点，总以难以置信的速度在成长。成长永远是愉快的。老人的烦恼，恰在于不会成长了，而且即便成长，也意味着衰落。

生活到底是什么

〔德国〕塔尼娅·科奈斯　　汪新华　译

一位满脸愁容的生意人来到智慧老人的面前。

“先生，我急需您的帮助。虽然我很富有，但人人都对我横眉冷对。生活真像一场充满尔虞我诈的厮杀。”

“那你就停止厮杀呗。”老人回答他。

生意人对这样的告诫感到无所适从，他带着失望离开了老人。在接下来的几个月里，他的情绪变得糟糕透了，与身边每一个人争吵斗殴，由此结下了不少冤家。一年以后，他变得心力交瘁，再也无力与人一争长短了。

“唉，先生，现在我不想跟人家斗了。但是，生活还是如此沉重——它真是一副重重的担子呀。”

“那你就把担子卸掉呗。”老人回答。

生意人对这样的回答很气愤，怒气冲冲地走了。在接下来的一年当中，他的生意遭遇了挫折，并最终丧失了所有的家当。

妻子带着孩子离他而去，他变得一贫如洗，孤立无援，于是他再一次向这位老人讨教。

“先生，我现在已经两手空空，一无所有，生活里只剩下了悲伤。”

“那就不要悲伤呗。”生意人似乎已经预料到会有这样的回答，这一次他既没有失望也没有生气，而是选择呆在老人居住的那座山的一个角落。

有一天他突然悲从中来，伤心地号啕大哭了起来——几天，几个星期，乃至几个月地流泪。

最后，他的眼泪哭干了。他抬起头，早晨和煦的阳光正普照着大地。他于是又来到了老人那里。

“先生，生活到底是什么呢？”老人抬头看了看天，微笑着回答道：“一觉醒来又是新的一天，你没看见那每日都照常升起的太阳吗？”

静的境界

周海亮

市场上摆一豆腐摊。

摊主是位文质彬彬的年轻人，戴着啤酒瓶底似的眼镜，总是捧一本厚厚的书，投入且安静。你把一元钱递过去，彼此不说话，握刀一切，块儿或大或小，也不称，递给你，笑笑，继续看他的书了。

某次我注意了一下，看到封面上写着：欧洲哲学史。于是，我佩服得不得了。试问，如此喧哗之闹市，能得一宁静心境，岂是易事？深山老僧古庙方丈也不过如此吧！

豆腐吃得烦了，我也买排骨。肉摊儿摊主是位中年人，长相很像张飞，闲时喜下象棋，敲着剔骨刀，吼着对方，快啊，快啊！似要吃人。

典型的市侩模样。

我有次买排骨，正好卖完。摊主说等一会儿吧，马上就到。就等一会儿，棋是不下的，有一句没一句地闲聊。

于是谈起那位戴啤酒瓶底眼镜的年轻人。我感叹道，不容易啊，在这种嘈杂的环境里竟还可以读书，那种宁静，那种心境，岂是一日之功?

卖肉的笑了，笑得有些放肆。笑完了，一本正经地说，那不叫宁静。

那叫什么宁静呢？卖肉的继续说，要么卖豆腐，要么读书，边卖豆腐边读书算哪门子事？你说他是卖豆腐宁静了还是读书宁静了？要读书就在家里读，跑到市场上干吗？摆姿态?

可能是生活所迫呢！我说。

那就好好卖豆腐！卖肉的再一次把剔骨刀敲得啪啪直响，那就大声吆喝，那就想办法早些卖完，多赚钱，然后找个安静的地方好好读他的书去！农贸市场是读书的地方吗?

这时排骨送来了，他开始剁排骨，凶态毕露，游刃有余。他笑着说，我就很宁静，我什么也不想，只想着卖肉。哪天我想读书了，我就只读书，我会什么也不想，什么也不做，只读书。什么叫宁静，什么叫超脱，这才算啊！与现实生活脱轨了，不务实了，还宁静个鸟?

他把剁好的排骨扔到秤盘上，算算，一伸手——给钱。

在回去的路上，我想，也许这个卖肉的，才真正算得上古刹老僧呢。

小处的优美与大处的壮阔

姜少杰

前几天看了几幅图画，给我留下深刻的印象：第一幅画是一片鲜艳的红，上沿呈现锯齿状，不知何物。

第二幅画上立着一只双目圆睁的大公鸡，金黄色的喙，绿色的翅膀扑闪着，那片红原来是它的冠。

第三幅画上原来这只公鸡站在一堆木头上，两个小男孩趴在窗台上紧紧盯着它，做跃跃欲试状。

第四幅画显示这是一个农家的院子，院子里有五只羊、三只鸭，一只小白狗在追着鸭子满院子跑，院子的小主人即那两个小男孩，一心一意要逮住那只鸡。

第五幅画：镜头拉远，原来上述这些都是玩具做的，一个扎着马尾巴的小女孩在认真地摆弄着它们。

第六幅画：一个老人，花白的头发，在看电视。仔细看，上面所有的画面竟然是电视里的一个镜头。

第七幅画：画面显示这里是一座繁华的城市，一辆电车缓缓驶过，老人与电视居然是电车上贴的广告画。原来如此。

别急，事情不会就这么结束。

第八幅画：沙漠边上的小镇，邮差正在把一封信交给一位女士。那座繁华的都市，原来是信封右上角邮票上的图案。

请发挥你的想象，下一幅图画会是什么？

看完全程，忽然间心里有股说不出的滋味，原来你以为自己所看到的已是整个世界，没想到它只是冰山的一角。当你一旦超越了某种境界再来看某些事情，心里可能会觉得豁然开朗，原来世界是这样，颇为自得。而实际上，也许与事物的本质依然有很大差距。

我想人可能一辈子都在追求一种境界，一种超越自我的更高境界，一种大处的壮阔与雄伟，所谓欲穷千里目，更上一层楼。可这境界却永远没有尽头，一山更比一山高。最高境界应该是佛吧，而我们毕竟是人。是人便有七情六欲，便有了诸多的烦恼与不满。有雄心壮志的人可能会觉得我的理念不比张朝阳差，为啥我没有发财？比尔·盖茨大学还没毕业呢，我都读到博士后了，还买不起别墅；我特瞧不起我们部门领导，就那样领导谁都会……都市有多繁华，人们的牢骚就会有多少。

我想说的是，要进入某种境界，这需要天时地利人和。我们倒不如从小处着手，从自己目前的能力及所从事的事情着手，认真负责地做好并从中体味到快乐与精彩。就像那只大公鸡一样，虽然没有那么高的境界看到自己原来是一张邮票里的一个几乎微不足道的小角色，但依然在为着自己的生存努力拼搏，依然值得尊敬。不是吗？我们成不了张朝阳，成不了比尔·盖茨，但我们可以活好自己。大处有壮阔，细节也很美呀。

我们决策不了这个星球的转动，但我们能决策多种些花，当时间悄悄地转到了它开的季节，它便呈现自己的生命的灿烂，敢与日月争刹那光华。再退一步说，我们如果连种什么花也不能决策，那我们就让自己成为一朵散发出幽香的花吧，无论被决策在哪里开放，都不改那份美丽与优雅。

小处的优美与大处的壮阔，随缘吧。

快乐人生指南

周　剑

一发现错误，立即改正。

牢记自己喜爱的诗词歌赋。

别尽信耳听，花光所有的积蓄或贪睡。

不要打断别人对你的称赞。

多读些书，少看些电视。

毫无保留地去爱，虽然可能因此受到伤害，但只有这样，才会拥有一个完整的人生。

意见不和，可据理力争，但不可辱骂对方。

与一个你喜欢并能谈心的人结婚，因为当你的年纪越来越大时，你会发现谈话的技巧变得越来越重要。

谨记：伟大的爱和卓越的成就都需要冒极大的风险。

尊重别人，尊重自己，为自己的行为负责。

如果失败了，千万不要忘记失败的教训。

微笑着接听电话，对方会感到你的微笑。

让自己有独处的时间。

随时准备接受新事物，但不要丢弃应珍惜的东西。

沉默有时是最好的答案。

过快乐及有尊严的人生，那么，当你回想过去的岁月时，就可以再一次快乐地享受人生。

家对每一个人都很重要，努力创造一个和睦温暖的家。

多与别人分享你的思想和知识，是达到不朽的途径之一。

专注自己的事务。

条件允许的话，每年去一次远游。

如果你非常有钱，请用你的金钱帮助其他人，这是富有所能得到的最大满足。

有时候，得不到想得到的，是一种幸运。

规则要懂，但不要死守，要学会变通。

最美好的爱情是彼此对对方的爱远远超过对对方的需求。

你的性格就是你的命运。

用付出的代价去衡量成功。

经营幸福

李宝环

接受自己的相貌。快乐法则的第一条是，停止再将自己的相貌与别人做比较，不要动辄与那些国色天香的美女比相貌，因为那样只会让自己情绪低落。聪明的人应懂得欣赏自己，接受自己的容貌，即使事实上你看起来只比恐龙略好一点。如此一来，你可能每天都会过得比美女还要神采奕奕、光彩照人。

调整目标控制欲望。加拿大北英属哥伦比亚大学的政治学教授亚力克斯·迈克罗斯发现，那些脚踏实地、实事求是的人往往比那些好高骛远的人快乐得多。因此，要想生活快乐，就要学会根据自己的实际情况来调整奋斗目标，适当压制心底的欲望。

金钱买不来快乐。纽约康奈尔大学的经济学教授罗伯特·弗兰克说，虽然财富可以带给人幸福感，但并不代表财富越多人越快乐。根据研究结果，一旦人的基本生存需要得到基本满足后，那么，每一元财富的增加对快乐本身都不再具有任何特别意义，换句话说，到了这个阶段，金钱就无法换算成幸福和快乐了。

不要为平庸烦恼。弗兰克教授同时告诫世人，不要因为自己才华平庸而闷闷不乐。他说，对聪明人是否更快乐的实证调查做的不多，但经验显示，智慧与快乐并无联系，反倒是“聪明反被聪明误”、“傻人有傻福”的例子俯拾皆是。

快乐可以遗传。科学家发现，快乐也是可以遗传的。因此，即将为人父母者要注意了，无论如何，要学着制造“快乐基因”，好遗传给下一代。

选择并忠于婚姻。美国伊利诺斯大学的心理学教授埃德·戴那在对3万名德国人进行了长达15年的跟踪研究后发现，那些生活幸福快乐的人往往都适时选择了婚姻，并且忠于自己的婚姻。

有信仰使人充实。美国杜克大学医学院的哈罗德·克尔尼格认为，信仰来生的人比没有信仰的人容易快乐，因为他们更容易找到人生的意义和目标，很少觉得孤独。

助人为乐自己也乐。“助人为快乐之本”这句话得到了许多科学研究的印证。研究证明，那些愿意做出无私奉献的人更容易得到快乐。调查发现，快乐的人往往都乐于报名担任义工，奉献爱心。

平和地迎接衰老。当眼角出现第一条细纹时，许多人都会大吃一惊，神情黯淡。其实老自有老的魅力，要学会心态平和地接受衰老的过程。研究表明，年长者和年轻人一样容易快乐，但负面情绪出现的几率却比年轻人少很多。

山不过来，我就过去

易发久

在追求成功的过程当中，我们十有八九不会一帆风顺，一定会遇到困难、碰到瓶颈，也一定有“头撞南墙”的时候。

有这样一个经典故事，有一位大师，几十年来练就一身“移山大法”，然而故事的结局足可让你我回味——

世上本无什么移山之术，惟一能移动山的方法就是：山不过来，我就过去。

现实世界中有太多的事情就像“大山”一样，是我们无法改变的，或至少是暂时无法改变的。“移山大法”启示人们：如果事情无法改变，我们就改变自己。

如果别人不喜欢自己，是因为自己还不够让人喜欢；

如果无法说服他人，是因为自己还不具备足够的说服能力；

如果顾客不愿意购买我们的产品，是因为我们还没有生产出足以令顾客愿意购买的产品；

如果我们还无法成功，是因为自己暂时没有找到成功的方法。

要想事情改变，首先得改变自己。只有改变自己，才会最终改变别人；只有改变自己，才可以最终改变属于自己的世界。

山，如果不过来，那就让我们过去吧！

你努力了吗

佚　名

1927年，美国阿肯色州的密西西比河大堤被洪水冲垮，一个9岁的黑人小男孩的家被冲毁，在洪水即将吞噬他的一刹那，母亲用力把他拉上了堤坡。

1932年，男孩8年级毕业了，因为阿肯色的中学不招收黑人，他只能到芝加哥读中学，家里没有那么多钱。那时，母亲做出了一个惊人的决定——让男孩复读一年。她则为整整50名工人洗衣、熨衣和做饭，为孩子攒钱上学。

1933年夏天，家里凑足了那笔血汗钱，母亲带着男孩踏上火车，奔向陌生的芝加哥。在芝加哥，母亲靠当佣人谋生。男孩以优异的成绩中学毕业，后来又顺利地读完大学。1942年，他开始创办一份杂志，但最后一道障碍，是缺少500美元的邮费，不能给订户发函。一家信贷公司愿借贷，但有个条件，得有一笔财产作抵押。母亲曾分期付款好长时间买了一批新家具，这是她一生最心爱的东西。但她最后还是同意将家具作了抵押。

1943年，那份杂志获得巨大成功。男孩终于能做自己梦想多年的事了：将母亲列入他的工资花名册，并告诉她算是退休工人，再不用工作了。那天，母亲哭了，那个男孩也哭了。

后来，在一段反常的日子里，男孩经营的一切仿佛都坠入谷底，面对巨大的困难和障碍，男孩已无力回天。他心情忧郁地告诉母亲："妈妈，看来这次我真要失败了。"

"儿子，"她说，"你努力试过了吗？"

"试过。"

"非常努力吗？"

"是的。"

"很好。"母亲果断地结束了谈话，"无论何时，只要你努力尝试，就不会失败。"

果然，男孩渡过了难关，攀上了事业新的巅峰。这个男孩就是驰名世界的美国《黑人文摘》杂志创始人、约翰森出版公司总裁、拥有三家无线电台的约翰·H·约翰森。

约翰森的经历向我们昭示：命运全在搏击，奋斗就是希望。失败只有一种，那就是放弃努力。

坚强和随遇而安

朱德礼　黄淑芳

当你在大海上向着某一目的地航行，忽遇暴风雨，你是冒着可能翻船的危险顶着风浪上呢，还是暂时改变航向，以期避开危险？面临这样的时刻，也许百分之百的航海者会采取后一种方式，因为你的存在才是最终到达目的地的最大保证。

但是，在生活中遇到类似问题，又有多少人能明智地选择保全自己（包括保全健康、保全心灵、保全利益）的方式来暂避不期而遇的风浪呢？

在人们的心灵辞典和社会观念辞典中，坚强、坚忍不拔、意志坚定、果敢、临危不惧、毅力、勇气等等词汇，都被赋予了理想主义的色彩，成为令人们崇尚的品格。但是在现实中，让自己一味按照这些词汇所代表的意义来行动，往往会碰壁、误入歧途。

生活就像在大海上航行，不知什么时候会遭遇风暴，不知哪里会涌出暗流。如果我们接受这一现实，在某些情况下顺着风向和洋流，可能绕一些道，却也达到了目的。而且在整个过程中，人是放松的，可以保全自己的身心。“以柔克刚”，自古就为人们所推崇。如果一味抗拒，认为最直的路线就是最好的路线，勇气、刚毅、坚强就是人性高贵的证明，那么在掀着浪打着漩的大海上，我们或者牺牲了自己——失败，或者到达目的地时已经精疲力竭——代价太大。

对于生活，坚强和随遇而安同样重要。如果我们要与生活的法则对抗，一味按主观愿望行事，那么我们可能遭遇失败。就像人类曾对大自然宣战，认为自己可以战胜自然，改天换地，其结果是人类的行为造成了全球范围内的生态危机，这种危机可能最终葬送全人类以及整个地球生命体系。

为了最终实现自己的愿望，也为了整个过程放松自己，我们应该承认生活的法则同自然的法则一样，不必抗拒。我们应该对自己能够控制什么、不能控制什么进行理性的评估，面对生活的海潮，建立自己平衡的心态。这样，在生活中可以自如地把握自己的航向，该向目标直奔的时候，就保持航向；该迂回暂缓的时候，就避一避风浪。看起来可能过程长了一些，但是这样可以让我们保证自己在安全的放松的情况下，抵达胜利的彼岸。

其实，在人们中间，很多人的成功都包含着金钱、权力、名声、地位，这样的追求，其价值本身有多大就值得打问号。在全力追求中让自己狂热、激奋、折戟沉沙，就更是得不偿失了。

“非典”流行期间，有些社区被封闭隔离起来，这让许多人不得不停止航程，放慢速度。看似强制的封闭，却让有些人品尝到了生活的乐趣——当不得不从所谓的事业中抽身时，由于闲暇，由于心灵的放松，可以按自己喜欢的方式安排生活，人们随遇而安，享受生活中难得的自由时刻，体味着符合自然本性的生活温馨。

我们应该建立一种“坚强—随遇而安”的生活哲学，理性地体会人的自然需要，顺其自然地生活。这样，不需要“非典”的控制，我们也能容许内心有一个安宁平静的港湾，来停泊暂避暴风雨的生命之舟。

揽住母亲的肩头

每个人都是最棒的，父体的千万个细胞中最强壮的一个才能跑到最前面与来自母体的细胞结合。这时，有二分之一的机会会诞生一个男人。儿子，无疑是父亲所有理想的最好载体，而母亲给儿子的，是最无休止的爱，她最担心的，是自己的儿子不能顶天立地。当女儿家可以搂着母亲的脖子窃窃私语时，请揽住母亲的肩头，让母亲感觉到你结实有力的臂膀。

敬父亲一杯酒

儿子承载了父亲太多的理想，但是理想与现实总是不能够完美地结合，无论你实现了多少父亲的期盼，甚至你与父亲的期望背道而驰。但是，要敬父亲一杯酒，你身上淌的是他的血液，严肃的父爱是你人生道路上的鞭子，驱策你走向自己的路。当你成为一个男人的时候，请感恩地凝视父亲的双眼，斟满一杯酒，告诉父亲你无愧为他的儿子。

对你爱的女人说“我爱你”

在这里我们不谈爱情的专一，你爱过几个女人就说几声“我爱你”，这三个字不是你对别人的赐予，而是对自己灵魂的负责，不敢说的爱是懦弱的，活着的时候不说这三个字，死了，就没有机会了！

不要打女人

在你心智正常的情况下，不要打女人。你不要管女人是不是水做的，你都不能打她。对于实在让你厌恶的女人，你最好的做法是不和她一般见识，最坏的做法是用恶毒的语言骂她，但是千万不要打，你不打，可能有人说你无能，你打了，你就是真的无能。

有一个自己的孩子

不一定非要是自己亲生的，因为生理问题有时候你真的避免不了，但是你要有一个自己养大的孩子，你同样会有很多的梦想没有实现，需要一个载体。别太期望这个载体会顺着你设计好的路走下去，你看看我们自己，有很多地方已经让父亲失望了。但是他一定会在你的教导下长大成人。如果出息了，你可以对别人说“那是我的孩子”。如果他很平凡，你可以对自己说，“呵，这是我的孩子”。

年轻的时候去漂泊

你最好年轻的时候飘荡着过一段日子，不论离家远近，你一个人生活过，打拼过，这样老了的时候才会有更多精彩的故事可以回忆。人要是没得东西可回忆，实在是一件可怕的事情。

唾弃同情这种感情

同情是一种凌驾于弱者的情感，是最没有用的一种情感，请不要把同情当做爱心，爱心是自内而外的，是不会让任何人的尊严受损。而同情是自上而下的，同情往往意味着你于心不忍，而又爱莫能助，这种情感你觉得有用吗？因此，不要去接受别人的同情，也不要去同情他人。

有自己的一份事业

每个人头顶的天都一样大，死了之后都不会带走什么，所以，你要去拼一拼，成败与否，要的不是结果，是个过程。

小人物

牛　车

很久以前我以为我是大人物。那时候我的理想很多，无论做哪一行，我都会出类拔萃，与众不同：如果当兵，我就是拿破仑；如果当科学家，我就是爱因斯坦；如果是作家，我就是鲁迅……那时我总觉得我是天才，我肯定会像一颗新星，受到万人景仰。

如果你认为我仅仅是在七岁时这样想，那你就错了。实际上这种想法一直伴随我到二十岁，二十五岁，甚至二十九岁。终于有一天，到了三十岁，我在一夜之间清醒了：原来自己是个小人物。

也不是我一个人这样想。美国曾有人做过统计，八岁的孩子中有百分之八十二认为自己能当总统。也不只是孩子们自己这样想，每个孩子刚出生的时候，母亲都做着彩色的梦。但一长到三十岁，我们全都清醒。

由总统下降到平凡的小人物，这是一个多么痛苦的过程。而且这种痛苦是一步一步的，十岁的时候下降一个档次，二十岁的时候再下降一个档次，一直到三十岁，大家才彻底接受现实。这个过程绵延了很长时间，我们的痛很深。

但也是一个正常的过程。这个世界上机会很多，但与人的数量相比仍然少得可怜，最后胜出的，肯定只是那么一小撮。百分之九十的人，注定要做小人物。这就好像是与命运赌一回，开始时所有人都以为自己会赢，但一翻牌，输的是大多数。

不过这个过程很重要。正因为我们对自己没有充分的认识，我们才会付出最大的努力。天下没有场外的举人，如果不试一试，谁也不知道自己的斤两。虽然最后试出自己的重量不过二三斤，但我们也会得到自己的东西。哪怕是小小的进步，我们也算是取得了成功。而如果一开始就知道自己只有二三斤，我们肯定会一事无成。社会就是在我们这种不切实际的理想下被推动的。

三十岁，我们会发现当一个小人物也不错。尽管生活中酸甜苦辣咸五味俱全，但我们过得踏实。虽然不完美，但它有自己的意义，一种只有亲身体会才能说出的意义。

三十岁，一个现实主义的年龄，从此我们真正懂得了人生。

曾经自卑

刘清车

十几年前，他从一个仅有20多万人口的北方小城考进了北京的大学。上学的第一天，与他邻桌的女同学第一句话就问他："你从哪里来？"而这个问题正是他最忌讳的，因为在他的逻辑里，出生于小城，就意味着小家子气，没见过世面，肯定被那些来自大城市的同学瞧不起。

就因为这个女同学的问话，使他一个学期都不敢和同班的女同学说话，以致一个学期结束的时候，很多同班的女同学都不认识他！

很长一段时间，自卑的阴影都占据着他的心灵。最明显的体现就是每次照相，他都要下意识地戴上一个大墨镜，以掩饰自己的内心。

二十年前，她也在北京的一所大学里上学。

大部分日子，她也都在疑心、自卑中度过。她疑心同学们会在暗地里嘲笑她，嫌她肥胖的样子太难看。

她不敢穿裙子，不敢上体育课。大学时期结束的时候，她差点儿毕不了业，不是因为功课太差，而是因为她不敢参加体育长跑测试！老师说：“只要你跑了，不管多慢，都算你及格。”可她就是不跑。她想跟老师解释，她不是在抗拒，而是因为恐慌，恐惧自己肥胖的身体跑起步来一定非常的愚笨，一定会遭到同学们的嘲笑。可是，她连给老师解释的勇气也没有，茫然不知所措，只能傻乎乎地跟着老师走。老师回家做饭去了，她也跟着。最后老师烦了，勉强算她及格。

在最近播出的一个电视晚会上，她对他说：“要是那时候我们是同学，可能是永远不会说话的两个人。你会认为，人家是北京城里的姑娘，怎么会瞧得起我呢？而我则会想，人家长得那么帅，怎么会瞧得上我呢？”

他，现在是中央电视台著名节目主持人，经常对着全国几亿电视观众侃侃而谈，他主持节目给人印象最深的特点就是从容自信。他的名字叫白岩松。

她，现在也是中央电视台著名节目主持人，而且是第一个完全依靠才气而丝毫没有凭借外貌走上中央电视台主持人岗位的。她的名字叫张越。

喔——

原来是他们，原来他们也会自卑，原来自卑是可以彻底摆脱的。

假如死亡来临

林　夕

朋友是做证券生意的，整天满世界跑，难得见他一面。我们通常的联络方式是打电话。

有一天晚上，他打电话来，我们东南西北地聊。他突然问我："如果让你花一元钱，可以买到你哪一天会死的信息，你买不买？"

我想了想，摇摇头说："不买。"

"为什么？"

"人生最大的痛苦莫过于知道自己哪天死。我认为，最好的死亡方式是：让死亡突然间来临，来不及思考，生命突然终止。"

沉默片刻，电话那端，他轻声说："可是，我买。"

"为什么？"

"我怕死亡突然来临时，还有许多想做的事没有做。不过，我也不想知道得太早，提前10天让我知道就行。”

“你想用这10天做什么？”

“5天的时间给我的家人，好好陪他们；5天的时间给我自己，做我最喜欢做的事情。

“和我爱的人在一起，开着车带她穿过大森林。”

我笑了：“这并不难，你为什么不现在就做呢？”

他叹了口气：“现在这么忙，哪有时间啊？”

我也在心里叹了口气，不禁想起另一位朋友。他是一家外贸公司经理，也是满世界地飞，整天忙着谈判、签合同，一年难得回家几次。他觉得很欠妻子和女儿的，就说等公司业务发展好了，陪她们去欧洲度假。公司的业务一直在发展，可是他总觉得还不够好，结果一拖再拖，始终未能成行。后来，他赴日本谈判时，心脏病发作死在途中。

许多时候，我们总把最喜欢做的事情留在最后。可惜，死亡来临之前并不通知我们。尽管我们已经荣幸地迈入21世纪的信息时代，信息高速公路已经架到我们家门口，却没有一家公司可以出售死亡的信息。所以绝大多数人留在最后、最喜欢做的事情，最后都带进坟墓里去了。

二、披沙拣金

播种快乐

隐　地

快乐是一种思想。思想快乐，你就是一个快乐的人。思想不快乐，你就永远也快乐不起来！

快乐是一种情绪。懂得了控制情绪的方法，你就已站在了快乐的一方。快乐也是一种个性。有些人生来悲观，要追求快乐也难。但阅读和阅历都能使人智慧增加，人一豁达，快乐就跟着来了。

快乐的境界有高有低。从工作中获得的快乐，境界最高；其次，因付出而得到的快乐，也是高层次的快乐。这些快乐与贪得无厌的快乐相比，真是有云泥之别。

在现在的社会上生存，我们需要学习独处的快乐。阅读、欣赏音乐，让自己的一颗心安静下来。安静而踏实的心灵，也是快乐的泉源。

快乐的时候常常会悲从中来，原来忧喜本就只有一线之隔。

悲苦的童年，往往也是未来奔向快乐的一种累积，会成为中年以后收获不尽的一座宝藏。“吃得苦中苦，方为人上人！”有些古话，至今仍为真理。反之，先甜后苦，“少壮不努力，老大徒伤悲”。不事耕耘，只想享受和挥霍，那么，老来苦真是苦。可见辛苦和快乐是一体两面，不知道何谓痛苦，大概也就难以体会真正的快乐。

快乐和幸福有别，幸福是“命运安吉，境遇顺遂”，快乐则需我们主动追求。通过追求得到的快乐，是辛苦播种而来的，所以是一种“果”，属于“种豆得豆、种瓜得瓜”的一种“果”。但快乐之果收成之日，切忌得意忘形。快乐就好像春风，让人人觉得舒适，但快乐过了头，就变成了飓风，甚至会演变成暴风雨，那么就会乐极生悲——快乐的你，请切记！切记！

爱的临界点是6

深圳青年

有人问美国著名电视节目《有力时刻》主持人、百万畅销书作家、加州水晶大教堂创建人罗伯·舒乐博士，是如何在意见时常相左的情况下，成功地维系了35年的婚姻。舒乐博士愉快地回答说，这其中也有妻子一大部分的功劳，并详细列出聪慧的妻子为他们的爱情特制的那把尺子，以及尺子上在意见不合时用来测量这种不合程度的10个刻度（不赞同的程度逐渐增加）：

1. 最轻微的程度是："我没有兴趣，但是假如你想做就去做吧！"

2. "我认为不好，但有可能是我错了，所以你就去做吧！"

3. "我不赞成，我确定你是错的，但是我还是可以接受，去做吧！"

4. "我不赞成，但是我会保持沉默，让你照你的方法去做。以后我会照我的意思改变它。比如新装修的房子，明年我会用我的方法重新粉刷，重新换新的壁纸，重新装潢。"

5. “我不赞成，我也不能够保持沉默。我爱你，但是我还是要告诉你我不同意。如果你听到我和你不同的看法，不要觉得我是跟你过不去。”

6. “我不同意，我建议我们暂缓行动，直到我们两个都能冷静并理性地重新评估我们的处境。给我一些时间。”

7. “我坚决反对。这是一个错误——耗费金钱、不易修正，我很坚决，我不能也不会同意你的意见。”

8. “我的答案是不！假如你这么做的话，我会非常的沮丧，而且我无法预测我的反应将会怎样。”

9. “绝对不行！假如你要这么做，我告诉你，我不干了！”

10. “不！除非我死！”

舒乐博士说，在这35年当中，他和妻子意见不同的程度从不会超过“6”。

当他觉得自己变得沮丧的时候，就会说：“亲爱的，这就是‘6’！‘6’代表着我非常非常的爱你，但我不知道我们之间到底怎么了，所以让我们冷静下来想一想，也许一两个月后我会同意的。但是我今天没办法同意你的看法，给我一些时间来想想你的看法，体会一下你的感受。”

“朋友能够给你忠告，他们能够分享你的意见，但是他们不应该替你做决定。你是惟一能做决定并为结果负责的人。”舒乐博士说，无论对于爱情还是对于友情，这“6”的临界点都是值得参照的。

家中的气节

毕淑敏

我想说，家中无气节。这话，肯定不堪一击。中国人饿死事小，失节事大，哪里敢辱没气节的丰姿呢？但我指的只是家中的琐碎，不过借用一下此词的英名。

世上举案齐眉的家庭一定是有的，不能以我等瓢勺相碰的日子揣测人家的和睦是虚伪，但也一定不多，因为矛盾的普遍性制约着我们。

大多数家庭都时常爆发争执，像界碑不清的小国边境冲突不断。要是演变成正式宣战，干脆离婚了，则不在讨论范畴之内。那些历经苦恋苦爱而今又处在争执不断的冷战状态的家庭，似有讨论气节的余地。

有多少原则问题呢？真正的国计民生，大概并不构成分歧的核心。甚至对家庭的大政方针，比如孩子要上大学，父母要延年益寿，工作要努力，住房要增加……双方也是高度和谐统一的。问题往往出在一些很小的分工或是态度的优劣上，比如你是做饭还是洗衣？你为什么不和颜悦色而是颐指气使……有时，简直就不知是为了什么，双方把外界的怒气直接打包带回家，单刀直入地进入了对峙阶段，除了不扔原子弹，家庭阴冷的气氛同大战无异。

为了对付这种莫名其妙的僵持，时新杂志上登出了许多驭夫或是驭妻的“诀窍”，教你如何化干戈为玉帛。这些供人莞尔一笑的小诀窍，不知灵不灵。我看这其中的死结就是如何对待家中的气节。

家是什么呢？是一对男女的永不毕业的大学，是适宜孩子居住的圣殿；是灵魂的广阔海滩，是精神的太阳浴场。我们在尘世奔波中的种种面膜，需在家中清洗复原。人们以为家中的人多么温柔和蔼，真是错了。在涡轮般旋转的今天，家居的人也许比街市的人更脆弱，更敏感，更易冲动。

常常听到因小事争吵的女人说要从此不理丈夫，等他来同我说第一句话。男人就更是不肯低下高昂的头，好像家是宁死不屈的刑场。

冷漠后恢复交谈的第一句话真是那么重要吗？重于我们曾经有过的一生一世的寻找？第二句话真就那么卑下吗？卑下到丧失了品格和尊严？第三句话真就那么平淡了吗？淡忘它如同抛弃我们以前拥有过的万语千言？

什么是家中的气节？既然我们相爱，爱就是我们共同的气节。你的失态，在我看来，是你的思绪溃败了；在这一瞬间，我是你的强者。原谅、宽恕、包容和鼓励，就是家庭永远长青的气节。

有些人以沉默对待冷漠，消极地把缰绳交给时间。时间通常是一个中性的调解员，会使人们渐渐恢复冷静。但孤寂中只顾自家意气的男女不要忘了，时间也会跟我们开居心叵测的玩笑呢。当你缄默着不肯谅解时，家的瓶颈便出现第一道裂纹。继续对抗下去，锤子无聊地敲击着婚姻之瓶，随着时间的叠加，瓶子也许訇然破碎。

太看重一己气节的人，其实是一种枯燥的自卑。你以为在亲人面前挣得了面子，然而失去的却是尊重与宽容。片刻的满足带来长久的隐患。聪明的男人和女人，千万别因小失大。

分歧时，不必拍案而起。争执起，义正辞可不严。有失误，莫要声色俱厉。灾临头，携手共赴家难。如果一定要有家中气节，我想这几条该在其中。

站在迷宫的入口处

李德武

不久前，我来到一座迷宫的入口处。据说这座迷宫的设计天下绝伦，当然，这个迷宫是专为游戏而建。迷宫的管理者为了吸引游客，声称闯过迷宫的人可在出口处获得一万元奖金。于是，闯迷宫的人蜂拥而至。人们排着队进入到变化莫测的回廊内，在其中徘徊。有的人一整天陷入其中，既找不到出口，也找不到归途，最后不得不发出求救的呼喊。

一连几天过去了，前来闯迷宫的人丝毫不减，但没有一个人走到出口，拿到那一万元奖金。在他们遗憾的表情里，充满了对自己运气不济的抱怨和沮丧，却从未对迷宫本身怀疑什么。

一天，一位测量工程师走进迷宫。他不是为那一万元奖金而来，他是为了揭穿迷宫的秘密而来。他手里拿着罗盘、尺子、纸和笔，边走边丈量，并绘出地图。他返回入口处时宣布了一个令人震惊的消息，从他测量的结果来看，这个迷宫根本就没有出口，也就是说从入口进入迷宫的人最终都将回到入口，永远无法到达放着一万元钱的出口。而那么多人受了这一万元钱的诱惑，白白地让自己浪费了精力和时间。

听到这个消息后，很多闯迷宫的人认为自己受了欺骗，要起诉迷宫管理者。但迷宫管理者的一番话却让想起诉的人们理屈词穷。迷宫管理者说："我设计这座迷宫，只是想让人们看到人自己给自己设置障碍时是多么难以想象和不可思议。毫无疑问，人类拥有智慧，但这种智慧常常让人陷入自己编织的圈套。我期待人们来到我的迷宫前，就仿佛来到一面镜子前，他能照到自己内心的目的、方向和欲望，因此而变得机智一些。遗憾的是，前来闯迷宫的人少有思想和辨别，一心奔着那一万元钱。这说明你们愚蠢到只剩下欲望了，并且是贪婪的、不劳而获的欲望。其实所有的人都从出口里走出来了，却只有测量工程师发现了秘密，那就是这座迷宫的入口，同时也就是它的出口……"

一个半朋友

邓　皓

我爷爷给我讲过一个这样的故事：

从前有一个仗义的广交天下豪杰的武夫。他临终前对他儿子说：“别看我自小在江湖闯荡，结交的人如过江之鲫，其实我这一生就交了一个半朋友。”

儿子纳闷不已。他的父亲就贴近他的耳朵交代一番，然后对他说：“你按我说的去见见我的这一个半朋友，朋友的要义你自然就会懂得。”

儿子先去了他父亲认定的“一个朋友”那里。对他说：“我是某某的儿子，现在正被朝廷追杀，情急之下投身你处，希望予以搭救！”这人一听，容不得思索，赶忙叫来自己的儿子，喝令儿子速速将衣服换下，穿在了眼前这个并不相识的“朝廷要犯”身上，而让自己的儿子穿上了“朝廷要犯”的衣服。

儿子明白了：在你生死攸关的时刻，那个能与你肝胆相照，甚至不惜割舍自己的亲生骨肉来搭救你的人，可以称做你的一个朋友。

儿子又去了他父亲说的“半个朋友”那里，抱拳相求把同样的话诉说了一遍。这“半个朋友”听了，对眼前这个求救的“朝廷要犯”说：“孩子，这等大事我可救不了你，我这里给你足够的盘缠，你远走高飞快快逃命，我保证不会告发你……”

儿子明白了：在你患难的时刻，那个能够明哲保身、不落井下石加害你的人，可称做你的半个朋友。

那个父亲的临终告诫，不仅仅让他的儿子，也让我们懂得了一个交友的道理：你可以广交朋友，也不妨对朋友用心善待，但绝不可以苛求朋友给你同样回报。善待朋友是一件纯粹的快乐的事，其意义也常在此。如果苛求回报，快乐就大打折扣，而且失望也同时隐伏。毕竟，你待他人好与他人待你好是两码事，就像给予与被给予是两码事一样。你的善只能感染或者淡化别人的恶，但不要奢望根治。当然，偶尔你也会遇上像你一样善待你的人，你该庆幸那是你的福气，但绝不要认定这是一个常理。

因为人生只有一个半朋友。

别抱不哭的孩子

韩石山

人际交往最难的是什么，要叫我说，最难的是接近。道理再简单不过了，没有接近，就没有交往，就像没有开花就不会结果一样。

在这上头，作家赵树理可作为我们的榜样。一本书上说，老赵下乡有个经验：不抱不哭的孩子。若一位大嫂怀里抱着个孩子，孩子正在哭着，老赵会接过孩子，一边哄着孩子，一边和大嫂说话，很快就亲热地谈起来了。起初看到这儿，我以为定是写书的人弄错了，该是不哭的抱过来，正哭着的不会去抱。孩子正哭着，你去抱，不是自讨苦吃吗？

过了多少年，我才想通这个道理。写书的人没有弄错，就是抱正哭着的孩子，老赵真是聪明绝顶！

先得作个界定，能抱在怀里的孩子，怕不会超过3岁。这样的年龄，任情任性，无牵无挂，既不会敬重名人，更不会畏惧权贵，哭与不哭，连想都不会去想，全凭他一时的感觉。再从发展的趋势说，正哭着的孩子，不外两种可能：一是继续哭下去，再是慢慢地停下来或戛然而止。孩子哭着，你不负任何责任，因为他原本就在哭着，而一旦不哭了，你就平白地得到一份好处。原本就不哭的孩子，也有两种可能：一是继续不哭，再就是哇的一声哭了。不管他是为什么哭的，都是在你手里哭的，你都会落个"不讨孩子喜欢"的人。

老赵的聪明在于，他选择了孩子处于逆境的时候，给他以关怀。

人际交往的道理也是这样。人生在世，就年龄而言，有少壮与老迈之别，就处境而言，有顺境与逆境之别。就是同样的年龄与处境，境况也会有所不同。平常人，无灾无病，优游度岁，某一天也会遇上个不顺心的事，比如今天和妻子生了气，心情怕就不会和往日一样。总括起来说，人与人只要一比较，就会有逆境与顺境的区别，哪怕这区别很微小，总还是有的。

与人交往，若能在对方处于逆境时给他一点关怀，真是功德无量。若是出于需要才去交往，不管怎样必要，都让人觉得有些势利。两者的不同处在于，逆境时的交往，要的是真诚，而顺境时的交往要的是技巧。不管什么时候，真诚都比技巧高尚，甚至可以说，真诚乃是人世间交往的最大技巧。

一生能读多少书

李霁宇

一个人一生有多少时间做学问呢？这是个有趣的简单算术题。算你活70岁罢，除去不懂事的孩提及垂垂老矣的暮年，你只有60年，60年中谋生、生存、干活、打工，你只有30年，再除去生病、应酬、娱乐及种种非自愿的浪费，你最多有10年的时间读书做学问，算起来一辈子满打满算也就是三千来天吧。好，不算新知识，不算现代层出不尽的新学问，再除去政治、经济、科技等学科，只讲文史，有多少典籍、有多少古今中外的名著？这就是说你一天读一本也读不完，更不要说消化、理解、研究了。在阅读、思索和融会贯通三者间，在时间的分配上起码得三三分成，你一辈子能读通精通多少书？！按时间和精力，最多1000本到头了。再说，能如达摩面壁九年的人世上有几个？这个算法也许有人不同意，换一种算法求证。读一本书要多少时间？认真读一本书一般是三天左右，再加上做眉批、笔记、思考、消化、资讯整理，写作或讲演，起码得三天，为生存的工作、家务、应酬、休整算三四天，这就是说10天能消化一本书。一年365天，10年是360本书。如果你还要搞运动，生病，上山下乡，当"右派"，"冤假错案"一下，再关心国家大事、地球大事、时事新闻或足球之类的，一个人在一生中的读书做学问的有效期就更短了。

这道算术题适用于专家，不是专家也就等而下之了。

因此，我从来不相信作家们读过多少书，就算吴宓、钱钟书、沈从文这些大家们，那时不过四五十岁，有多少读书做学问的时间（还得扣出挨整、不作为的无奈时间）。问题是更年轻的后人，总是大言不惭地说自己博览群书，都装出一副饱学之士的样儿，我真的不信。大多的旁征博引不外是翻书抄书，大多的知识都是一知半解。我相信才气，但不迷信学问。凡是故意说些高深的话的人，凡是动辄引经据典的人，凡是不时引用什么名人的话的人，我都打问号。就如引用马克思的话的人大多未必读过《资本论》一样。

世界太大了，百分之九十九的时候我都是一问三不知。我想这才是正常的。

李碧华论男女

李碧华

好男人不过是一瓶好的驱风油：一、真材实料，提防假冒。二、安全可靠，信用昭著，回乡探亲，带去也不会失礼。三、能医百病。四、药有药味，辣一点，方算上路，才有味道。五、无副作用。

最惆怅的事，人人都给你青眼，你最希望那给你青眼的，却给了你白眼。

要吻上很多很多青蛙，才有一个变成王子。中间好些吻，花得冤枉。

美人也如香皂，不管多么芬芳高贵，在时间的大手中，它褪色、减味、瘦削、变形、扭曲、酥软、含糊、混沌、衰弱……

世上最好的男人，是“四合一”——把潘金莲那四个男人——西门庆、武松、武大郎、张大户之优点集于一身。

一个拥有很多条车匙的单身女人，其实比车位寂寞。

“我爱你”三个字，男人通常事前说，要不她怎么肯；女人其实最想在事后听到，不过那时他太累了，到了翌日晨更懒得说了。

怠惰因子

陈四益

中华民族向以勤劳著称。自然环境的恶劣、人口的压力，做苦力的中国人必须加倍努力，才能生存。但是，我们也有怠惰的遗传。

怠惰因子，表现于精神领域：思想上，我们惯于接受圣人现成的教训，而懒于独立思考；政治上我们寄望于明君，而不肯自作判断；法治上我们期待清官，而不思改造官僚体制；道义上我们求助于侠客伸张正义，而无能自救。总之，我们总想由圣贤、明君、清官、侠客，替我们把一切都想个周全、做个周全，恩赐一个好社会，而不是由自己动手建设一个好社会。

然而，这种怠惰因子并非百姓所固有，它多半是外力植入的——靠着长期武力的和话语的霸权。消除怠惰因子，是中国走向现代化的一项重要标志，而因袭的力量却强化着怠惰因子的承传。如果依附的人不能成为自立的人，尽管各样的名词可以走马灯似的转，骨子里依旧只是总管们治下的奴隶。

怕

张小失

一个少年怕独自走夜路。父亲问他：你怕什么？少年答：怕黑。父亲问：黑为什么可怕？少年答：像有鬼似的。父亲问：你见过鬼？少年笑了：没有。父亲问：那么，现在你敢独自走夜路了吗？少年低头：不敢。父亲问：还怕什么？少年答：路边有一片坟地。父亲问：坟地里有什么声音或鬼火之类的吗？少年答：有虫叫，没鬼火。父亲问：白天的虫叫与夜里的虫叫有何区别？少年：呃……

一名新兵怕跳低板墙。连长问他：为什么不敢跳？新兵答：怕栽倒。连长问：你以前跳过吗？新兵答：没有。连长问：那么低板墙绊倒过你吗？新兵低头：当然没有。连长问：那你怎么知道它会使你栽倒？然后连长令新兵跳高，成绩为1点7米。连长又问新兵：你知道低板墙有多高？新兵说：不知道。连长说：1点5米。

一名失业青年近几年在家埋头写作，发表了一千多块“豆腐块”。一天，父亲指着一则招聘启事说：某报社需要编辑，快去试试！长期与社会缺少直接接触的青年胆怯地说：我未必行。父亲问：为什么？青年答：没学历。父亲问：或许你发表的作品能打动报社总编呢？青年答：那么多大学毕业生应聘，咋会看上我呢？父亲问：你见过总编了？青年答：没有。父亲问：你了解过全部竞争对手了？青年答：没有。父亲问：那你究竟怕什么？

怕走夜路的少年后来独自走了几回，虽紧张，却平安无事；怕跳低板墙的新兵后来终于咬牙跳了一次，并且以后再也没有犹豫过；怕应聘的青年后来背着一袋报刊去见总编，居然被破格录用……他们就是今天的我呀！

我曾反复品味父亲的问题：你究竟怕什么？我的回答是：怕我心中那个与生俱来的“怕”字。

不一定……

朱铁志

当了博导的，不一定就是众望所归；没当博导的，不一定不学无术。

开会坐在中间的，不一定是真正的权威；偏居一隅的，不一定无所作为。

声色俱厉的，不一定真理在手；沉默寡言的，不一定心中无数。

名气最大的，不一定实力最强；默默无闻的，不一定乏善可陈。

排在第一位的，不一定真是作者；叨陪末座的，很可能是惟一的作者。

大谈服务的，不一定真卖力；啥也不说的，很可能做实事。

从不计较的，不一定软弱可欺；斤斤计较的人，不见得真强悍。

标榜自己"永远正确"的人，不一定真有底气；常思己过的人，往往不可战胜。

成绩面前往上冲的人，不一定真是贡献者；失败面前承担责任的人，人们不会抹杀他。

整天上电视的人，不一定活在现实中；自觉远离媒体的人，常常活在记忆里。

动辄跟你“说句心里话”的人，不一定是真朋友；常常话不中听的人，反而值得你珍视。

天天围在你身边的人，不一定真心实意拥戴你；有意对你敬而远之的，恰恰是你应该主动接近的人。

有钱的不一定真富有；没钱的不一定真贫穷。

总说“爱你”的人不一定真爱你；从不刻意表白的人，很可能是你铭心刻骨的真朋友。

西装革履的人不一定具有现代意识；一介布衣者未必不懂当代文明。

出身贫苦不一定质朴；豪门之内不一定没有贤才。

多磨不一定是好事；好事不一定非多磨。

不言利者不一定就是仁义之士；满口仁义道德的就一定是道德家吗?

拿了文凭的不一定都有学问；没有文凭的不一定啥都不懂。

在其位者不一定都谋其政；不在其位者未必不心忧天下。

“实至”不一定“名归”；欺世往往可以盗名。

“无边落木萧萧下”不一定是秋的消息；“惟见长江天际流”就是夏的回响吗?

说你行其实你不一定真行；说你不行你也不见得真不行。

众声沸腾不一定就是民主；鸦雀无声肯定是专制。

客居异国者不一定不爱国；厮守故土的也不全是爱国者。

和你同笑的不一定就是同甘者；和你同哭的也不一定是共苦者。

山盟海誓不一定铭心刻骨；默默相对很可能地老天荒。

自封的强者往往是不一定的；自认的弱者同样是不一定的。

一分耕耘不一定就有一分收获；袖手旁观不一定颗粒无收。

爱人者不一定人恒爱之；恶人者不一定人恒恶之。

世界上的事，只有“不一定”是一定的；而“一定的”往往是不一定的。

自己快乐，不能令别人痛苦

刘心武

年轻画家在那块山顶的大岩石上，遇见了那位老人。画家支着画架子，正在写生。老人爬上山顶，就在大岩石上的一块自然凸起的地方坐了下来。老的问少的："我妨碍你吗？"少的说："您来得正好，尽管坐在那儿赏景吧，我这画面上正好缺个有意思的近景，我把您画上去，您不介意吧？"老少二人后来就都不做声，各自沉入自己的内心世界。

周围全是青山。山底下是翠谷。翠谷里有闪着光斑的小河蜿蜒流淌。鸟雀声声，却不见它们飞翔。唯独这块山顶岩石，除了缝隙里蹿出些杂草，是蓝天与绿山之间的一片赭色。虫鸣山更幽，是什么虫躲在石缝里断续地吟唱？它们也有喜乐忧伤吗？

老人把拐杖放在双腿当中，双手叠放在拐杖头上，望着远近满山的树木，眼里闪出了泪光。画家在画面一角勾勒着他的轮廓，不禁问道："您为什么难过？"老人缓缓地说："是难过，也是高兴。难过，是我在这个地方做过很多错事；高兴，是我在这个地方做对过一件事情。”年轻画家问：“您是个老干部吧？”老人点头：“算是吧。不过这里的人，包括今天的干部，都不认识我了。这回我是从千里以外来的。”“看朋友？”“看这周围满山的树木。”两个人就都暂停交谈。一片云柔柔地飘过，山林明暗转换，很高的天际，现出鹰的剪影。

老人在那望林石上，回顾自己的生涯。他当年曾有过许多光彩，现在除了履历表上留有痕迹，连对儿孙也绝不提起那褪色乃至可疑的职衔，如“反右”运动简报组副组长、四清工作组代组长、县革命委员会副主任什么的，当然，也有一些现在依然属于光彩范畴的职衔。往事究竟如烟，还是并不如烟？对他来说，仿佛水幕电影，似烟如雾而又分明呈现出某些清晰的画面。真诚地做过错事，半信半疑地跟着做过错事，违心地将错就错过……但20世纪70年代初期，他就专心只做一件事，那就是狠抓实干地在全县开展植树造林，也曾阻力重重，甚至被指斥为“以种树干扰批林批孔”。进入80年代，又出现另外的困难，没有同僚说你是干扰政治大方向了，却有大量村民入林盗树只为换点现钱，他以权谋树，以超前于上面即将出台的土政策稳住了局面……他从调至这个县到离开这个县，正好三十年，做对的一件事，就是种树。现在他坐在那望林石上，觉得人生的意义其实就是坚持去做一件对的事情。社会的复杂因素会让一个人做错许多的事，却很难完全断绝一个人做一件对事的机会，关键在于你究竟能不能在某一天认定不放、排除万难、锲而不舍地去做那一件事。

老人的心思，是在年轻画家画完那幅画，拿过去给他看，两个人面对面坐在一起，闲聊起来，才让对方大体上理解的。年轻人说他很少使用对和错的概念来思考问题。他没觉得自己做错过什么事需要懊悔，也没觉得一定要做对什么事情来获得心理满足。不光是对 / 错，像美 / 丑、善 / 恶、雅 / 俗等二元对立的思维模式，他也都很少进入。他对老人说，不要因此就以为我们这些年轻人荒唐，我们懂事后社会就已经多元化了，两极的事物当然好辨其是非、美丑、善恶、雅俗、高低……但在两极之间还有非常广阔的中间地带，那里面的事物都是复杂甚至暧昧的，我徜徉其中，凭借直觉，依着个性，撷取能让自己快乐的因素，当然，我要注意，自己快乐，不能令别人痛苦，所以要遵守公共契约。年轻人对老人说，感谢您为这里壮观秀美的山林溪谷付出过那么多心血，我爱这些山林，我也会亲身参与植树与护林，但这对我来说不是什么别做错事要做好事的问题，这是我生命存在的必然逻辑。画家就又让老人看他画的画。老人原来很不习惯他那带有印象派特点的画风，看不出好来，听了他一番言论，拿起那画仔细端详，尽管仍有些隔膜，却也渐渐生出一些憬悟，最后胸臆里旋即生出许多的欣慰。年轻画家呢，歪头对着画自我欣赏，只觉得画里画外的人物都是天赐的精灵，令他本已摇曳多姿的人生平添了许多的意趣。

风吹过来，山林轻柔地起伏，把那一派翠绿的波澜直浸入两个偶然相逢的一老一少的心中。

人体的有趣数字

丁永明

法国的一位解剖学家收集到一组关于人体和人生的有趣数字。

如果把人的大脑皮层展开，抚平皱褶，可得到一张厚3毫米，面积为90×60平方厘米的“发面饼”。

成年男子的大脑平均重1424克，到了老年萎缩到1395克。男子大脑的重量纪录是2049克。正常的、未萎缩的大脑最轻为1096克。作为比较，9米长的恐龙的大脑只有核桃大小，重70克。

人的神经系统的信号传递速度达到每小时288公里，到了老年，速度减慢15%。

人的舌头平均长9厘米，重50克。舌头由17块肌肉组成，所以异常灵活。

年龄越大耳朵越长。平均每10年耳朵长2.2毫米。

人有100万～300万根头发。

在可能的情况下，男人定期去理发店，一生中剃掉的头发有9～10米长。

如果人的一生能活75～80岁的话，心脏将跳动30亿次。重约300克的心脏通过总长约为20万公里的血管系统向全身输送血液。

体重约70公斤的人体包含的化学成分有：碳12公斤、氢7公斤、钙1公斤，还有少量的碘、钴、锰、铝、铬和银等。

女人一生可吃掉25吨食物，喝掉3.7万升液体。男人一生可吃掉22吨食物，喝掉3.3万升液体。女人一生吃得比男人要多些，是因为女人的平均寿命比男人要长。女人哭的次数是男人的5倍，结果她们的平均寿命比男人长7岁。

痛苦和盐

田　语

有一个师傅对于徒弟不停地抱怨这抱怨那感到非常厌烦，于是有一天早上派徒弟去取一些盐回来。

当徒弟很不情愿地把盐取回来后，师傅让徒弟把盐倒进水杯里喝下去，然后问他味道如何。

徒弟吐了出来，说：“很苦。”

师傅笑着让徒弟带着一些盐和自己一起去湖边。

他们一路上没有说话。

来到湖边后，师傅让徒弟把盐撒进湖水里，然后对徒弟说：“现在你喝点湖水。”

徒弟喝了口湖水。师傅问：“有什么味道？”

徒弟回答：“很清凉。”

师傅问："尝到咸味了吗？"

徒弟说："没有。"

然后，师傅坐在这个总爱怨天尤人的徒弟身边，握着他的手说："人生的痛苦如同这些盐，有一定数量，既不会多也不会少。我们承受痛苦的容积的大小决定痛苦的程度。所以当你感到痛苦的时候，就把你的承受的容积放大些，不是一杯水，而是一个湖。"

偶　像

刘　墉

两界山曾经镇压过齐天大圣孙悟空，后来孙悟空成了正果，人们在这儿立一个齐天大圣庙，香火极为旺盛。有一只猴子，偷偷跑到庙里，把齐天大圣的泥塑像搬开，自己坐在上面，接受人们的香火，吃着人们供奉的鲜果。

猴子常常溜出来，把人们虔诚的忏悔和恳切的乞求当作笑料，告诉它的同伴们。同伴们说："你敢长期呆下去吗？"

"怎么不敢！"这只猴子说，"泥塑的齐天大圣怎能比得上我呢？那只不过是一尊泥像，而我才是一只真正的猴子！"

"人们常常在山里捕捉我们，可是他们竟心甘情愿向你磕头，这事真不可理解。"

"这有什么！"这只冒充的齐天大圣说，"人就有这样一种特性，只要谁坐在神的宝座上，他们就对谁膜拜，哪管它是不是一只猴子呢！"

追鹿的猎人，是看不见山的；捕鱼的渔夫，是看不见水的。眼中只有鹿和鱼的人，不能看到真正的山水；眼中只看到偶像的人，永远找不到自我真实的性灵。

自由的鸡

〔美国〕南茜·文思克　　荣素礼　译

伯岭肯农场是一个大型机械化养鸡场，一个个仓库式样的大房间里整齐地排列着近百个小笼子，每个笼里有两只产蛋鸡。

笼子如此之小，母鸡在里面根本无法转身。鸡笼前面的自动传送带给它们送来食物，后面的传送带则带走它们刚下的鸡蛋。

我发现不远处有十几只四处游荡的鸡，一个工作人员跟在鸡群后往地上撒米喂它们。

“你是想把它们引回鸡笼吧？要帮忙吗？”他走过我身边时，我对那个喂鸡的员工说。

“谢谢，我不想抓住它们，”喂鸡的员工对我点点头，“我们有意让这几只鸡自由活动。关在笼子里的那些家伙如果看不到几只自由的鸡，会由于神经过度紧张而停止产蛋。如果没有这几个‘逃跑’分子，其他鸡最终会放弃希望，甚至死掉。”

一下子，我意识到我的生活方式和这些笼子里的鸡是多么相似。我们多少人一生都生活在笼子里，渴望地看着别人去历险，追求梦想，享受自由。

我意识到世上有两种鸡：生活在笼子里的和自由自在的。我要做一只自由的鸡。

上帝的苹果

刘晓东

斯坦利·库尼茨是个对沙漠探险情有独钟的瑞典医生，年轻的时候，他曾试图穿越非洲撒哈拉沙漠。进入腹地的当天晚上，一场铺天盖地的风暴使他变得一无所有：向导不见了，满载着水和食物的驼群消失得无影无踪，连那瓶已经开启的准备为自己庆祝36岁生日的香槟也洒得一干二净。死亡的恐惧从四面八方涌来，斯坦利的手神经质地伸进自己的口袋。“苹果！”斯坦利从绝望中清醒过来，“我还有一个苹果！”几天后，奄奄一息的斯坦利被当地土著救起。令他们大惑不解的是，昏迷不醒的斯坦利手中攥着一个虽然完整但已干瘪得不像样子的苹果。它被攥得如此紧，以至于谁也无法从他手中取出。

上个世纪初，这个一生中不乏传奇色彩的老人去世了。弥留之际，他为自己拟写了这样一句墓志铭：我还有一个苹果。

我不知道别人是如何看待这只苹果的，毋庸置疑，它可以被看成是信念的化身，但我更一厢情愿地倾向于这种理解：上帝在把你置于绝境的同时，一定会塞给你一只救命的苹果，它就藏在你身上某一个口袋里。因此，你没有必要抱怨自己一无所长，你应该把叹息的时间用在寻找这只苹果上。只要你能找到它，你就一定能轻松愉悦地走出生活的沙漠。

——那只苹果，其实就是你的长处。

发现财富的眼光

蒋光宇

菲勒出生在一个贫民窟里，他和很多出生在贫民窟的孩子一样争强好胜，也喜欢逃学。

但与众不同的是，菲勒从小就有一种发现财富的非凡眼光。他把一辆从街上捡来的玩具车修好，让同学们玩，然后向每人收取0.5美分。在一个星期之内，他竟然赚回一辆新的玩具车。

菲勒的老师深感惋惜地对他说："如果你出生在富人的家庭，你会成为一个出色的商人。但是，这对你来说已是不可能的了，你能成为街头商贩就不错了。"

菲勒中学毕业后，正如他的老师所说，他真的成了一名小商贩。他卖过电池、小五金、柠檬水，每一样都经营得得心应手。与贫民窟的同龄人相比，他已经可以算是出人头地了。

但老师的预言也不全对，菲勒靠一批丝绸起家，从小商贩一跃而成为商人。

那批丝绸来自日本，数量足有1吨之多，因为在轮船运输当中遭遇风暴，这些丝绸被染料浸染了。如何处理这些被浸染的丝绸，成了日本人非常头痛的事情。他们想卖掉，却无人问津；想运出港口扔了，又怕被环境部门处罚。于是，日本人打算在回程的路上把丝绸抛到大海里。

港口有一个地下酒吧，菲勒经常到那里喝酒。那天，菲勒喝醉了。当他步履蹒跚地走过几位日本海员身边时，海员们正在与酒吧的服务员说那些令人讨厌的丝绸。说者无心，听者有意，他感到机会来了。

第二天，菲勒来到轮船上，用手指着停在港口的一辆卡车对船长说："我可以帮你们把这些没用的丝绸处理掉。"结果，他没花任何代价便拥有了这些被染料浸过的丝绸。然后，他用这些丝绸制成迷彩服装、迷彩领带和迷彩帽子。几乎在一夜之间，他拥有了10万美元的财富。

有一天，菲勒在郊外看上了一块地。他找到地皮的主人，说他愿花10万美元买下来。地皮的主人拿到10万美元后，心里还在嘲笑他："这样偏僻的地段，只有傻子才会出这么高的价钱！"

令人料想不到的是，一年后，市政府宣布在郊外建环城公路。不久，菲勒的地皮升值了150倍，城里的一位富豪找到他，愿意出2000万美元购买他的地皮，富豪想在这里建造别墅群。但是，菲勒没有出卖他的地皮，他笑着告诉富豪："我还想等等，因为我觉得这块地应该增值得更多。"

果然不出菲勒所料，3年后，那块地卖了2500万美元。

他的同行们很想知道当初他是如何获得那些信息的，他们甚至怀疑他和市政府的官员有来往。但结果令他们很失望，菲勒没有一位在市政府任职的朋友。

菲勒活了77岁，临死前，他让秘书在报纸上发布了一条消息，说他即将去天堂，愿意给失去亲人的人带口信，每人收费100美元。这一看似荒唐的消息，引起了无数人的好奇心，结果他赚了10万美元。如果他能在病床上多坚持几天，赚得还会更多。

他的遗嘱也十分特别，他让秘书登了一则广告，说他是一位绅士，愿意和一位有教养的女士同卧一个墓穴。结果，一位贵妇人愿意出资5万美元和他一起长眠。

菲勒的发迹和致富，在许多人的眼中一直是个谜。解铃还须系铃人。他那别具匠心的碑文，也许概括了他不断在平凡中发现奇迹的传奇一生，也许能帮助不少人解开他发迹和致富之谜："我们身边并不缺少财富，而是缺少发现财富的眼光。"

戴维的发现

张金明

英国著名化学家戴维去世前，有一位前去探望的朋友问他一生中最伟大的发现是什么，他的回答是："我最伟大的发现是法拉第。"

是的，是戴维发现了法拉第。不过，这个"发现"的过程颇耐人寻味。

法拉第在伦敦书商里波先生的铺子里做学徒，他的工作是按照钟点把客人向书店租借的报纸按时送到他们的住所。这个书店也兼做一些书籍装订的业务，法拉第送报之余，就悄悄地观察店里的师傅摆弄那些铜尺、胶水、裁纸刀、纸面、布面，他很快就学会了书籍装订技术，手艺还超过了店里的老师傅。

于是，店里的许多工作里波先生总喜欢让他去做。在里波先生不反对的情况下，他借机读了《化学漫谈》、《大英百科全书》，并因此爱上了"自然哲学"。

也是在里波先生的同意下，他利用空余时间去听了学者塔特姆的讲演。他一共听了十几次，每次听完回来，都认真地把听课笔记誊抄清楚装订起来。后来，他把自己装订的《塔特姆自然哲学讲演录》送给里波时，被到店里联系事务的英国皇家学院的当斯发现，他看到了法拉第对科学的热爱，就把四张到皇家学院听课的入场券给了他。

而当时，正逢化学家戴维在皇家学院做讲座。

戴维的四次讲演加在一起才四个多小时，而法拉第的笔记却整理成了380多页。戴维讲过的内容，他全记了，没有讲到的内容，他也做了相关的补充，并配了精美的插图。他把它装订成了《亨·戴维爵士讲演录》。

后来，法拉第把《讲演录》寄给了戴维，并在附信上说明了自己的境况，而且表达了自己对皇家学院的向往、对科学的热爱。

戴维看到《讲演录》，他从法拉第记录、整理、誊抄、装订的技术看到了法拉第那有条不紊、严密细致的做事风格，戴维知道科学研究不可或缺的就是这种东西。

于是戴维接见了法拉第，并向皇家学院举荐了他。

是的，是戴维发现了法拉第。

但是，如果法拉第在里波先生的铺子里仅仅满足于“出师、做师傅，然后做老板”的生活目标，那么就不可能发生后面的事，皇家学院的大门也就永远不会向他打开。

法拉第是以其科学贡献闻名于世的，但他被戴维先生发现时，他打动戴维的却是别的东西。

其实，一个人做某些与志向似乎不相关的事时，他的做事风格照样会显露出来，而这种风格往往能左右此人的命运。

法国科学家巴斯德说：“机遇只偏爱那种有准备的头脑。”

法拉第做学徒时精湛的书籍装订技术也是他人生中的一种准备吧！

所以，英国著名化学家戴维发现了他。

苦难与天才

梦　萌

上帝像精明的生意人，给你一分天才，就搭配几倍于天才的苦难。

世界超级小提琴家帕格尼尼就是一位同时接受两项馈赠又善于用苦难的琴弦把天才演奏到极致的奇人。

他首先是一位苦难者。4岁时一场麻疹和强直性昏厥症，已使他快入棺材。7岁又险些死于猩红热。13岁患上严重肺炎，不得不大量放血治疗。46岁牙床突然长满脓疮，只好拔掉几乎所有牙齿。牙病刚愈，又染上可怕的眼疾，幼小的儿子成了他手中的拐杖。50岁后，关节炎、肠道炎、喉结核等多种疾病吞噬着他的肌体。后来声带也坏了，靠儿子按口型翻译他的思想。他仅活到57岁，就口吐鲜血而亡。死后尸体也备受磨难，先后搬迁了8次。

上帝搭配给他的苦难实在太残酷无情了。

但他似乎觉得这还不够深重，又给生活设置了各种障碍和漩涡。他长期把自己囚禁起来，每天练琴10至12小时，忘记饥饿和死亡。13岁起，他就周游各地，过着流浪生活。他一生和5个女人发生过感情纠葛，其中有拿破仑的遗孀。姑嫂间为他展开激烈争夺。在他眼中这也不是爱情，而只是他练琴的教场。除了儿子和小提琴，他几乎没有一个家和其他亲人。

苦难才是他的情人，他把她拥抱得那么热烈和悲壮。

他其次才是一位天才。3岁学琴，12岁就举办首次音乐会，并一举成功，轰动舆论界。之后他的琴声遍及法、意、奥、德、英、捷等国。他的演奏使帕尔马首席提琴家罗拉惊异得从病榻上跳下来，木然而立，无颜收他为徒。他的琴声使卢卡观众欣喜若狂，宣布他为共和国首席小提琴家。在意大利巡回演出产生神奇效果，人们到处传说他的琴弦是用情妇肠子制作的，魔鬼又暗授妖术，所以他的琴声才魔力无穷。维也纳一位盲人听他的琴声，以为是乐队演奏，当得知台上只他一人时，大叫“他是个魔鬼”，随之匆忙逃走。巴黎人为他的琴声陶醉，早忘记正在流行的严重霍乱，演奏会依然场场爆满……他不但用独特的指法弓法和充满魔力的旋律征服了整个欧洲和世界，而且发展了指挥艺术，创作出《随想曲》、《无穷动》、《女妖舞》和6部小提琴协奏曲及许多吉他演奏曲。几乎欧洲所有文学艺术大师如大仲马、巴尔扎克、肖邦、司汤达等都听过他演奏并为之激动。音乐评论家勃拉兹称他是“操琴弓的魔术师”。歌德评价他“在琴弦上展现了火一样的灵魂”。李斯特大喊：“天啊，在这四根琴弦中包含着多少苦难、痛苦和受到残害的生灵啊！”

上帝创造天才的方式便这般独特和不可思议。

人们不禁问，是苦难成就了天才，还是天才特别热爱苦难？

这问题一时难说清，但人们分明知道，弥尔顿、贝多芬和帕格尼尼被称为世界文艺史上三大怪杰，居然一个成了瞎子，一个成了聋子，一个成了哑巴！——或许这正是上帝用他的搭配论摁着计算器早已计算搭配好了的呢。

位　置

Tsingyuan

如果你一直向上看，就会觉得自己一直在下面；如果你一直向下看，就会觉得自己一直在上面。如果一直觉得自己在后面，那么你肯定是一直在向前看；如果一直觉得自己在前面，那么你肯定是一直在向后看。

目光决定不了位置，但位置却永远因为目光而不同。关键是，即使我们处于一个确定的位置上，目光却仍然可以投往任何一个方向。

只要我们安心于自己的位置，那么周围的一切就会以我们为中心，或是离我们而去，或是冲我们而来，或是绕着我们旋转，或是对着我们静默；如果我们惶惶不可终日，始终感到没有一个合适的位置，那么周围的一切就都会变成主人，我们得跑前跑后地侍候着，我们得忽左忽右地奉承着，我们得上蹿下跳地迎合着，我们得内揣外度地恭维着。

珠穆朗玛峰在攀登者心中的形象并非它的位置，而是它的高度。只要是金子，放在哪里，哪里就是金子的位置。伟大的人，总是位置在选择他；平庸的人，才东张西望地选择位置。

位置本身其实并没有多少差别，但不同位置上的人在审视同一个物体时却往往会有不同的印象。

在演员的位置上时，就要学会表演；在观众的位置上时，就要学会欣赏。社会是个大舞台，而我们却总是分不清我们到底是在表演还是在欣赏。或许，生活本来就是要我们以观众的心态去表演，以演员的心态去欣赏；或许，这正好能够检验一个人随时调整与适应的能力。

站在父母的位置上，就能多一份爱心和耐心，多一份永不熄灭的希望；站在儿女的位置上，就能多一份真情和深情，多一份永不消减的愧疚。人生大概真是为了使每个人都体会一下这种希望与愧疚交织的心情，才安排我们在做了一段时间的儿女后，马上又让我们去做了父母。

只有处在别人的位置上时，也许才会理解别人，才会留恋自己的位置。一个既不理解别人，又对自己的位置毫不留恋的人，就很难在别人的心目中有什么位置。当然，这同时也意味着，任何时候都不要以自己的位置炫耀自己，任何时候都不要以别人的位置贬低别人。

处在什么位置上，就在什么位置上寻找意义。

23岁和32岁的反省笔录

阿　成

人到三十，是件很可怕的事。这件倒霉事终于让我给碰上了。但人到三十，最要紧的事情，就是自我反省。反省的结果是：与十年前相比，我堕落了，现在的我——可以说，生活方式不对劲。但是如果要我回到十年前，打死我也不去。虽然现在并没有多么好，可悲的是，我已经习惯了——可见，习惯是堕落的第一步。

一、23岁的时候，有时会觉得自己很无用，浪费了光阴，因为在这个时候，朱湘已经出版了四本诗集，梁遇春已经当上了教授，而歌德也已经遇上了他的《少年维特之烦恼》中的女主人公。

32岁的时候，居然没有去自杀，甚至觉得日子还有想头，要是碰上那种四五十岁才被称做年轻人的事，就觉得来日方长。

二、23岁的时候，想偷偷吻女朋友一下都要鼓好大的勇气。

32岁的时候，会在女秘书端咖啡来的时候很随意地捏一下她的手。

三、23岁的时候，读大学，舍得用生活费的5块钱为女朋友买一朵玫瑰。

32岁的时候，我已经存了2000多块的私房钱。

四、23岁的时候，渴望穿一套像样的西装，扎一条体面的领带，头发梳得齐齐的，皮鞋擦得亮亮的，谈吐优雅，举止练达，以此博得老先生们的声声夸奖：真是一表人才。

32岁的时候，只希望自己能穿条短裤，一双拖鞋，晚上有空在路边小摊上喝杯夜啤酒。

五、23岁的时候，密切关注中国队，为冲出亚洲的梦想欢呼、失望以及愤怒。

32岁的时候，把《足球报》拿来垫家里饭厅那张有点跛的桌子腿儿。

六、23岁的时候，打完球洗完澡，晃着一头湿漉漉的头发就去打饭了。

32岁的时候，每天早上起来对着镜子看有没有白头发。

七、23岁的时候，发现老师讲课时有错误，然后举手发言指出来。

32岁的时候，知道领导永远是正确的，然后坚决地去执行。

八、23岁的时候，带女朋友下苍蝇馆子，要二两刀削，幻想自己是在五星级酒店点菜，还很绅士地为女士扶椅子。

32岁的时候，难得回家吃顿饭，然后老婆去洗碗，自己去客厅看电视。

九、23岁的时候，上课时写诗，在笔记本后面一写就是上千行。

32岁的时候，坐在电脑前打第二天领导讲话的稿子，一打就是一整夜。

十、23岁的时候，听音乐，听崔健的《一无所有》和齐秦的《狼》，用破收录机听得如痴如醉。

32岁的时候，家里有价值上万元的音箱和功放，以及贝多芬和巴赫，但它们上面全是灰尘。

十一、23岁的时候，在课桌上刻“曾经沧海难为水，除却巫山不是云”。

32岁的时候，看报纸上说齐秦追王祖贤9年终于结婚，嘴一撇，“脑子里肯定有包”。

十二、23岁的时候，每学期的成绩单都要向父母汇报。

32岁的时候，手里拿着发票找领导签字。

十三、23岁的时候，学油画。32岁的时候，学签字。

十四、23岁的时候，看画展，在人体前反复告诫自己：这是艺术，我在审美。脑子里乱想无所谓，最怕身体的某个部分当众“抗议”。

32岁的时候，把性感女郎的图片做成电脑的壁纸。

十五、23岁的时候，和寝室的人辩论哲学。

32岁的时候，在每一个饭局上讲荤段子。

十六、23岁的时候，还没有一个正式的女友。

32岁的时候，已经有一个正式的老婆。

十七、23岁的时候，抱着吉他在女生寝室外对着女朋友的窗口自弹自唱，直唱到楼上有人扔瓶子下来。

32岁的时候，晚上在卡拉OK和女同事深情对唱“我选择了你，你选择了我”。

十八、23岁的时候，洗澡时会唱崔健的“你的小手冰凉，像你的眼神一样……”

32岁的时候，在桑拿浴室里打瞌睡。

十九、23岁的时候，偷偷看《查泰莱夫人的情人》。

32岁的时候，偷偷看卫慧的《上海宝贝》。

二十、23岁的时候，第一次印名片，绞尽脑汁想头衔往上印。

32岁的时候，名片上除了姓名，就只有一个电话号码。

二十一、23岁的时候，打的，眼睛只盯着计价器。

32岁的时候，坐小轿车，眼睛却盯着车窗外路边过往的美女。

二十二、23岁的时候，天天早上起来跑步，然后去叫女朋友一起锻炼，然后吃早餐。

32岁的时候，每天能抽一小时在阳台改装的健身房里做几个仰卧起坐就很不错了。

二十三、23岁的时候，腰围是二尺零六，体重120斤。

32岁的时候，腰围变成了二尺六，体重156斤。

二十四、23岁的时候，打电子游戏，老式的游戏卡带，魂斗罗和采蘑菇玩得溜溜转。

32岁的时候，打麻将与下属玩，赢多输少；和上级玩，输多赢少。

二十五、23岁的时候，喜欢看见别人对自己露出笑脸，心情就很好。

32岁的时候，习惯对别人保持笑容，并且与心情无关。

二十六、23岁的时候，我们给所有的人起绰号，连女同学也不例外。

32岁的时候，我已经学会管50岁的老女人叫“小姐”，管李三娃叫MacK。

二十七、23岁的时候，是学生会的干部，站在阶梯教室讲台上主持学生会议。

32岁的时候，是科长，挽起袖子，在火锅店里和别人划拳。

二十八、23岁的时候，经常躺在床上幻想自己32岁的时候应该是个什么样儿。

32岁的时候，正在写一篇叫做《23岁和32岁的反省笔录》的无聊文章。

关于婚姻的话与画

马长山　刘　宏

单身汉是不懂婚姻的傻瓜；已婚者是懂得婚姻的傻瓜。

恋爱就是三分甜蜜加七分烦恼。蜜月里我们把甜蜜喝个精光，余下的岁月就只好有什么喝什么了。

初恋就是一点点相互提防，外加大量欣赏。

有魔力的女人总是让追求她的男人激情澎湃，让得到她的男人万念俱灰。

大部分女性总是追求瞧不起她们的男人，而瞧不起追求她们的男人。

婚姻是一场赌博，输者歇斯底里，赢者默默无言。

妻子希望丈夫不断更新爱情戏剧的内容，但女主角不能更换。

能够正常运转的婚姻不仅意味着丈夫与妻子的互相迁就，而且意味着理想与现实的互相妥协。

对男人的甜言蜜语，只能相信一半；对美男子的甜言蜜语，则应再打对折。

生活中的文字游戏

佚　名

人的喜新最久只有三十天，所以新婚只有蜜“月”。

人的忍耐最久只有三十天，所以工作多按“月”付薪。

结婚不是什么“人生”大事，只是合法“生人”的一道手续而已。

完全相反的个性，结婚时叫“互补”，离婚时叫“个性不合”。

避孕的效果：不成功，便成“人”。

女人的“折旧率”煞是惊人，从“新”娘变成“老”婆，只消一个晚上的光景。

相亲是“经销”，恋爱叫“直销”，而抛绣球招亲则为“招标”。

婚姻是牢笼，所以有些男女在婚后莫不“喜出”、“望外”。

在爱情中，有人“视死如归”；在婚姻中，有人“视归如死”。

只有在大排长龙时，才能真正体会到我们是“龙的传人”。

“官”若好，社会是彩色的；“官”若不好，社会是黑白的。

男人不会承认他喝“花酒”，只会说是去“花”钱“喝”酒。

在马路上，开车无难事，只怕有“新人”。

“敬人者人恒敬之”这一美德，只在今天的酒席上，才能见到。

恋爱时的花费，证明爱情“真实”；结婚后的开支，证明婚姻“无价”。

三、剑胆琴心

为他人开一朵花

青　杨

一个窗台上有一朵花，这个屋里就有了生气了。一棵树上开了一朵花，这棵树就饱满成熟了。一条路上绽放一朵花，这条路就多情缠绵了。一个人给另一个人送一束花，这两人就有情有意了。一个健康人给一个病人送一束花，这个病人就有了抗争的勇气了。

让自己的生命为他人开一朵花，为他人灿烂一片心地，增加一缕温馨，添一份生存下去的理由，多一点活下去的借口，就是提高自己的生存质量。用自己的心为他人做圃，给他人吐一地绿阴，染一片色彩，就是给自己的人生喝彩。

一次无偿献血是一朵花，一个受伤后的救助是一朵花，一次善意的批评是一朵花，一句关切的问候是一朵花，一次适时的看望是一朵花，一个及时的电话是一朵花，一个亲切的微笑是一朵花，一次碰撞后的忍让是一朵花，一次跌倒后的搀扶是一朵花，一次大度的让贤举荐是一朵花……

有的人心是一座大花园，里面开满了吐香的鲜花，能幸福许多人，如圣女贞德，如中国的雷锋。有的人的心是一朵花，只为一个相爱的人开放，如祝英台。有的人的心是一片草地，年年绿了却开不出花来。有的人的心是死灰，永远长不出绿叶，更开不出美艳的花。有的人的心是泥淖，让一个个人掉下去窒息而死。

能为别人开花的心是善良的心，能为别人缤纷的情是真诚的情，能为别人的生活绚丽而付出的人是不寻常的人，这类人必定有高贵的精神，有高尚的品格，有天使般的心灵。这类人是人心的旗帜，人世的脊梁，人群的魂魄。

出乎自然

王鼎钧

习惯造人，有什么样的习惯，就成为什么样的人。

半夜，卫灵公跟南子对坐闲谈，听见王宫外面的马路上，一辆马车远远驰来，从车轮跟路面接触震动发出的声音，可以推断车上坐着一个人。

马车一步一步来到王宫门外，车声稍稍停顿一下又响起来，现在的声音跟刚才的不同，车上的人显然已经下车。

马车走过王宫大门以后，重新又恢复了较为沉重的响声，马车的主人又回到了车上。

南子对卫灵公说，车上的人一定是蘧伯玉。第二天一问，果然不错。卫灵公问南子怎么知道的，南子说，依照规定，坐车的人经过王宫门外要下车步行。当时深更半夜，路上连一个行人也没有，除了蘧伯玉这样的君子，谁还肯遵守这个规定？

有人说蘧伯玉虚伪，也有人说他迂腐，其实不然，他是守法成了习惯。住在现代大都市里面的人，半夜驾驶汽车，看见红灯亮了，尽管马路冷冷清清没有别的车辆行人，也没有交通警察，驾驶人仍然要停下车来等绿灯亮了再通过。他们也和蘧伯玉一样，无非是守法成为习惯而已。

能够把美德化为生活习惯的人，值得羡慕。

舍弃荣耀

吴志翔

去年是美国耶鲁大学300周年校庆，全球第二大软件公司“甲骨文”的行政总裁、世界第四富豪艾里森应邀参加典礼。艾里森当着耶鲁大学校长、教师、校友、毕业生的面，发表了一番惊世骇俗的言论。他说：“所有哈佛大学、耶鲁大学等名校的师生都自以为是成功者，其实你们全都是loser（失败者），因为你们以在有过比尔·盖茨等优秀学生的大学念书为荣，但比尔·盖茨却并不以在哈佛读过书为荣。”

这番话令全场听众目瞪口呆。至今为止，像哈佛、耶鲁这样的名校从来都是令几乎所有人敬畏和神往的，艾里森也太狂了点儿吧，居然敢把那些骄傲的名校师生称为loser。但是还没完，艾里森接着说：“众多最优秀的人才非但不以哈佛、耶鲁为荣，反而常常坚决地舍弃那种荣耀。世界第一富比尔·盖茨，中途从哈佛退学；世界第二富保尔·艾伦，根本就没上过大学；世界第四富，就是我艾里森，被耶鲁大学开除；世界第八富戴尔，只读过一年大学；微软总裁斯蒂夫·鲍尔默在财富榜上大概排在十名开外，他与比尔·盖茨是同学，为什么成就差一些呢？因为他是读了一年研究生后才恋恋不舍地退学的……”

艾里森接着“安慰”那些自尊心受到一点伤害的耶鲁毕业生，他说：“不过在座的各位也不要太难过，你们还是很有希望的，你们的希望就是，经过这么多年的努力学习，终于赢得了为我们这些人（退学者、未读大学者、被开除者）打工的机会。”

艾里森的话当然偏激，但并非全无道理。几乎所有的人，包括我们自己，经常会有一种强烈的“身份荣耀感”。我们以出生于一个良好家庭为荣，以进入一所名牌大学读书为荣，以有机会在国际大公司工作为荣，不能说这种荣耀感是不正当的，但如果过分迷恋这种仅仅是因为身份带给你的荣耀，那么人生的境界就不可能太高，事业的格局就不可能太大。当我们陶醉于自己的所谓“成功”时，我们已经被真正的成功者看成了loser。真正的成功者能令一个家庭、一所母校、一家公司、一个省份、一个国家乃至整个人类以他为荣。

我有一位老师，已经年过半百了，在学术上的成就其实相当小，可他总是不忘提他当年的辉煌：他曾经是国内某著名大学某著名学者的弟子。他在那两个令人肃然起敬的名字带给他的荣耀里生活了大半辈子，傲视众生，却无所作为，到最后连本带息一起吃光。

人生是被一个又一个亮点照亮的，而为了创造新的亮点，你可能需要随时忘记你正在拥有或曾经拥有过的荣光。

挨打悟出的道理

〔俄国〕普　京

小时候第一次挨人揍，我感到很委屈。打我的那小子看上去像个瘦猴。不过，我很快便明白，他年龄比我大，力气也比我大得多。对我来说，这街头“大学校”第一堂课就使我得到一次重要的教训。我从中得出以下结论：

首先，我不对。当时，那孩子只是对我说了句什么，而我却很粗鲁地把他给顶了回去，那话简直能把人噎死。实际上，我这样粗暴是毫无道理的，因此，我就当场受到了应得的惩罚。

第二，如果当时站在我面前的是个人高马大的壮汉，也许我就不会对他那样粗暴，而这孩子第一眼看上去瘦骨伶仃。当我吃了苦头后，我才明白不能这样做，才明白不论对谁都应当尊重。

第三，我明白，在任何情况下，不管我对与否，如能进行还击，就都应当是强者。可那孩子根本就没给我任何还击的希望。

第四，我应该时刻做好准备，一旦遭人欺负，瞬间就应当进行回击。瞬间！

此外，我明确意识到，不到万不得已，不能轻易卷入什么冲突。但一旦有什么情况发生，就应考虑无路可退，因此必须斗争到底。原则上说，这一公认的准则是此后克格勃教我的，但早在孩提时代的多次打架中我对此就已经烂熟于心了。

此后，克格勃教我的还有另外一条准则：如果你不准备动武，你就不要拿起武器，不可随意恫吓人。假定你同谁发生了冲突，但在你最终决定“我现在要开枪”之前，你就不要操起武器。换句话说，不打则已，打则必胜！

勤奋人生

安武林

在美国，有一个人在一年之中的每一天里，都几乎做着同一件事：天刚刚放亮，他就伏在打字机前，开始一天的写作。这个男人名叫斯蒂芬·金，是国际上著名的恐怖小说大师。

斯蒂芬·金的经历十分坎坷，他曾经潦倒得连电话费都交不起，电话公司因此而掐断了他的电话线。后来，他成了世界上著名的恐怖小说大师，整天稿约不断。常常是一部小说还在他的大脑之中储存着，出版社高额的订金就支付给了他。如今，他算是世界级的大富翁了。可是，他的每一天，仍然是在勤奋的创作之中度过的。

斯蒂芬·金成功的秘诀很简单，只有两个字：勤奋。一年之中，他只有三天的时间是例外的，不写作。也就是说，他只有三天的休息时间。这三天是：生日、圣诞节、美国独立日（国庆节）。勤奋给他带来的好处是永不枯竭的灵感。学术大家季羡林老先生曾经说过："勤奋出灵感。"缪斯女神对那些勤奋的人总是格外青睐的，她会源源不断地给这些人送去灵感。

斯蒂芬 · 金和一般的作家有点不同。一般的作家在没有灵感的时候，就去干别的事情，从不逼自己硬写。但斯蒂芬 · 金在没有什么可写的情况下，每天也要坚持写五千字。这是他在早期写作时，他的一个老师传授给他的一条经验，他也是坚持这么做的，这使他终身受益。他说，我从没有过没有灵感的恐慌。

做一个勤奋的人，阳光每一天的第一个吻触，肯定是先落在勤奋者的脸颊上的。

膝下有黄金

胡　昕

他36岁时，是北京的一所名牌高校的博士生导师。他在接受我的采访时说："别的没什么好说的，我只跟你讲一个小故事，也许对读者还有点益处。"

他说——

我母亲是我7岁那年去世的，继母来到我家的那一年我11岁了。刚开始，我不喜欢她，大概有两年的时间我没有叫她"妈"，为此，父亲还打过我。可越是这样，我越是在情感中有一种很强烈的抵触情绪。然而，第一次喊她"妈"，却是我第一次也是惟一的一次挨她打的一天。这天中午，我偷摘人家院子里的葡萄时被主人给逮住了。主人的外号叫王胡子，我平时就特别畏惧他，如今在他的跟前犯了错，我吓得浑身直哆嗦。王胡子说，今天我也不打你不骂你，你只给我跪在这里，一直跪到你父母来领人。听说要我跪下，我心里确实很不情愿。王胡子见我没反应，便大吼一声："还不给我跪下！"迫于他的威慑，我战战兢兢地跪了下来。这一幕，恰巧被我的继母给撞见了。她冲上前，一把将我提起来，然后，对王胡子大骂道："王胡子，你简直是一个王八蛋！"继母平时是一个没有多少言语的性格内向之人，突然如此震怒，让王胡子这样的人也不知所措。我也是第一次看到继母性情中另外的一面。

回家后，继母用尺子狠狠地抽打了我的屁股，边打边说："你偷摘葡萄我不会打你，哪有小孩不淘气的！但是，别人让你跪下，你就真的跪下？你知道吗？膝下有黄金，膝下有黄金呀！像你这样，将来怎么成人？将来怎么成事？"继母说到这里，突然抽泣起来。我尽管只有13岁，但继母的话在我的心中还是引起了震撼。我猛地抱住了继母的臂膀，哭喊道："妈，我以后不这样了。"

这个小故事似乎只是我情感中的一个细节，但随着我年龄的增长，它渐渐成了我生命的主题。"膝下有黄金"，继母的话一直深刻地影响着我。一个人，只有捍卫了自己的尊严，信念才不会流失，人生的阵地才不会陷落。

两块钱的“敲门砖”

马　田

一位刚毕业的女大学生到一家公司应聘财务会计工作，面试时即遭到拒绝，因为她太年轻，公司需要的是有丰富工作经验的资深会计人员。女大学生却没有气馁，一再坚持。她对主考官说：“请再给我一次机会，让我参加完笔试。”主考官拗不过她，答应了她的请求。结果，她通过了笔试，由人事经理亲自复试。

人事经理对这位女大学生颇有好感，因她的笔试成绩最好，不过，女孩的话让经理有些失望，她说自己没工作过，惟一的经验是在学校掌管过学生会财务。找一个没有工作经验的人做财务会计不是他们的预期，经理决定收兵：“今天就到这里，如有消息我会打电话通知你。”女孩从座位上站起来，向经理点点头，从口袋里掏出两块钱双手递给经理：“不管是否录取，请都给我打个电话。”经理从未见过这种情况，竟一下子呆住了。不过他很快回过神来，问：“你怎么知道我不给没有录用的人打电话？”“你刚才说有消息就打，那言下之意就是没录取就不打了。”

经理对这个年轻女孩产生了浓厚的兴趣，问："如果你没被录用，我打电话，你想知道些什么呢？""请告诉我，在什么地方不能达到你们的要求，我在哪方面不够好，我好改进。""那两块钱……"女孩微笑道："给没有被录用的人打电话不属于公司的正常开支，所以由我付电话费，请你一定打。"经理也微笑道："请你把两块钱收回，我不会打电话了，我现在就通知你，你被录用了。"

就这样，女孩用两块钱敲开了机会大门。细想起来，其实道理很清楚：一开始便被拒绝，女孩仍要求参加笔试，说明她有坚毅的品格，财务是十分繁杂的工作，没有足够的耐心和毅力是不可能做好的。她能坦言自己没有工作经验，显示了一种诚信，这对搞财务工作尤为重要。即使不被录取，也希望能得到别人的评价，说明她有直面不足的勇气和敢于承担责任的上进心。员工不可能把每项工作都做得十分完美，我们可以接受失误，却不能接受员工自满不前。女孩自掏电话费，反映出她公私分明的良好品德，这更是财务工作不可或缺的。

两块钱折射出良好的素质和高尚的人品，而人品和素质有时比资历和经验更为重要。

大师的小节

佚　名

张大千居北平时，曾养一只波斯猫，后为徐悲鸿索去。数月后徐写信与张说，此猫极怪，不但不捕鼠，且“鼠吃猫粮”，鼠猫同器而食。

老舍某日讲演：“青年作家们，应该有创造心理，不能模仿。比如说今天人家说‘祖国’，我也写‘祖国’，明天大家说‘大地’，我也写‘大地’，这是没有进步的。诸位请看，我老舍的文章里，就没有一个‘大地’，也没有一个‘祖国’。如经发现，我愿罚银1元。”听众哄堂大笑。

刘半农作《教我如何不想她》，经赵元任制谱，传唱甚广。十年后，刘与观众见面，一女青年说：“原来是这样一个老头儿。”由此刘回来写了一首诗：“教我如何不想他，可能相共吃杯茶？原来这样一老朽，教我如何再想他？”

辜鸿铭对外国银行无好感，他说：“银行家是晴天把雨伞借给你，雨天又凶巴巴地把伞收回去的那种人。”这话成为讽刺名言，被收进《英国谚语》。

许地山认为做书虫要具备5个条件：身体健康，家境丰裕，事业清闲，志趣淡泊，智慧超群。

日军侵占北平期间，齐白石多次在大门上贴出字条："心病复作，停止见客。"但字条常被人偷揭了去保存。

白崇禧将乔大壮稿子改了几个字，乔当面严责："阁下是总参谋长，我是中央大学文学教授，各自有一行，如若你能改我的文章，我也改你的作战计划，行不行？"白哑口无言，只得再改回来。

在等你说谢谢

朱克波

那天我经过一个度假村，见一大群人围着一辆高档轿车，个个伸长了脖子往里张望。轿车旁边一身名牌西服的男人焦急地对大伙喊：“你们谁帮我爬进车底拧一下螺丝啊？”

原来他的车油路出了问题，从度假村游玩出来，漏出来的油已经淌到了车身外，这里离最近的加油站也有上百公里，难怪他急得像热锅上的蚂蚁。

他身旁那打扮妖艳的女子说：“看把你急的，重赏之下，必有勇夫！”于是他赶紧掏出一张百元大钞：“谁帮我拧紧，这钱就是他的了！”

我身旁的小伙动了一下，却被他的同伴拉住了：“有钱人的话，信不得的！”这时只见一个小孩走了过去，说：“我来吧。”

操作很简单，小孩在那人的指挥下不到一分钟就拧好了，爬出来后他就用期待的眼神看着那人，男人刚想把那百元钞票递给小孩，却被女人呵斥住了：“你还真打算给他100元啊？给他5元已经够多了！”

男人从女人手里接过零钱递给小孩，小孩摇了摇头。听见人群中的嘘声，男人又加了5块，小孩子还是摇头，男人有些生气了：“你嫌少？再嫌，这10块钱也不给你啦。”

“不，我没有嫌少，我的老师说，帮人是不要报酬的！”

男人蒙了：“那你怎么还不走？”

小孩说：“我在等你跟我说谢谢！”

三个抄写员

青 青

黎锦熙（1890—1978）是我国著名的国学大师。民国头十年他在湖南办报，当时帮他誊写文稿的有三个人。第一个抄写员沉默寡言，只是老老实实地抄写文稿，错字别字也照抄不误，后来这个人一直默默无闻。第二个抄写员则非常认真，对每份文稿都先进行仔细地检查然后才抄写，遇到错字病句都要改正过来。后来，这个抄写员写了一首歌词，经聂耳谱曲后命名为《义勇军进行曲》。他就是田汉。第三个抄写员则与众不同，他也仔细地看每份文稿，但他只抄与自己意见相符的文稿，对那些意见不同的文稿则随手扔掉，一句话也不抄。后来，这个人建立了以《义勇军进行曲》为国歌的中华人民共和国。他就是毛泽东。

儿子的鱼

〔加拿大〕P.帕金斯　　王悦　译

我环顾周围的钓鱼者，一对父子引起了我的注意。他们在自己的水域一声不响地钓鱼。父亲钓到两条足以让我欢呼雀跃的大鱼，接着又放走了。儿子12岁左右，穿着高筒橡胶防水靴站在寒冷的河水里。两次有鱼咬钩，但又都挣扎着逃脱了。突然，男孩的钓竿儿猛地一沉，差一点儿把他整个人拖倒，卷线轴飞快地转动，一瞬间鱼线被拉出很远。

看到那鱼跳出水面时，我吃惊得合不拢嘴。“他钓到了一条王鲑，个头不小。”伙伴保罗悄声对我说：“相当罕见的品种。”

男孩冷静地和鱼进行着拉锯战，但是强大的水流加上大鱼有力的挣扎，孩子渐渐被拉到布满漩涡的下游深水区的边缘。我知道，一旦鲑鱼到达深水区就可以轻而易举地逃脱了。孩子的父亲虽然早把自己的钓竿插在一旁，但一言不发，只是站在原地关注着儿子的一举一动。

一次、两次、三次，男孩试着收线，但每次都不成功。鲑鱼猛地向下游窜去，显然在尽全力向深水区靠拢。15分钟过去了，孩子开始支持不住了，即使站在远处，我也可以看到他发抖的双臂正使出最后的力气奋力抓紧钓竿。冰冷的河水马上就要漫过高筒防水靴的上缘。王鲑离深水区越来越近了，钓竿不停地左右扭动。突然，孩子不见了！

一秒钟后，男孩从河里冒出头来，冻得发紫的双手仍然紧紧抓住钓竿儿不放。他用力甩掉脸上的水，一声不吭，又开始收线。保罗抓起渔网向那孩子走去。

“不要！”男孩的父亲对保罗说，“不要帮他，如果他需要我们的帮助，他会要求的。”

保罗点点头，站在河岸上，手里拿着渔网。

不远的河对岸是一片茂密的灌木丛，树丛的一半没在水中。这时候鲑鱼突然改变方向，径直窜入那片灌木丛里。我们都预备着听到渔线崩断时刺耳的响声。然而，说时迟那时快，男孩往前一扑，紧跟着鲑鱼钻进了茂密的灌木丛。

我们3个大人都呆住了，男孩的父亲高声叫着儿子的名字，但他的声音被淹没在河水的怒吼声中。保罗涉水到达对岸，示意我们鲑鱼被逮住了。他把枯树枝拨向一边，男孩紧抱着来之不易的鲑鱼从树丛里倒着退出来，努力保持着平衡。

他瘦小的身体由于寒冷和兴奋而战栗不已，双臂和前胸之间紧紧地夹着一条大约14公斤重的王鲑。他走几步停一下，掌握平衡后再走几步。就这样走走停停，孩子终于缓慢但安全地回到岸边。

男孩的父亲递给儿子一截绳子，等他把鱼绑结实后，弯腰把儿子抱上岸。男孩躺在泥地上大口喘着粗气，但目光一刻也没有离开自己的战利品。保罗随身带着便携秤，出于好奇，他问孩子的父亲是否可以让他称称鲑鱼到底有多重。男孩的父亲毫不犹豫地说：“请问我儿子吧，这是他的鱼！”

海泽先生的勇敢

毕淑敏

德国最近发生了一桩血案，一个19岁的小伙子，因伪造假条，被校方开除，他决心报复学校。一天上午，他戴着恐怖的面具，一手握着手枪，一手拎着连发猎枪，闯进学校，见人就打，主要是瞄准老师，他觉得是他们让他蒙受了羞辱。在20分钟的疯狂射击中，他的手枪共打出了40发子弹，将17人打死，其中有13名老师。他还有大量的子弹，足够把数百人送进坟墓。这时候，他的历史老师海泽先生走过来，抓住他的衬衣，试图同他说话。这个血洗了母校的学生认出了他的老师，他摘掉了自己的面具。海泽先生叫着他的名字说，罗伯特，扣动你的扳机吧。如果你现在向我射击，那就看着我的眼睛！这个杀人杀红了眼的学生，盯着海泽先生看了一会儿，缓缓地放下了手枪。后来海泽先生把凶手推进了一间教室，猛地关门，上了锁，此后不久，凶手在教室里饮弹自杀。

我惊讶海泽先生的勇敢，更惊讶他在这种千钧一发之时说出的这句话。

海泽先生对自己的眼光一定有着充分的把握，在手无寸铁的情况下，他使用了自己的眼光。如果是我，可能会躲起来，即使是站出来阻止，也会挥舞着门板或是桌椅之类的掩体……

总之，我可能会有一千种方式，但我想不到会说——看着我的眼睛。

我猜这是海泽先生常说的一句话。在课堂上，在校园里，在万分危急的时刻，海泽先生不是说教，也不声色俱厉，只是轻轻地说了这句他常说的话。

正是这句话，唤起了凶手残存的最后一丝良知，停止了暴行。

海泽先生是非常自信的。这不是一种技巧，而是一种坚定的修养；是一种长期潜移默化修炼提升的结果，举重若轻，玉树临风。一位老师所有的岁月和经验，化成了超人的勇气和智慧。

厚　道

鲍尔吉·原野

契诃夫说：有教养不是吃饭不洒汤，是别人洒汤的时候别去看他。

有一个相似的美国俗语说：犯过错不是稀奇事，稀奇的是别人犯错的时候去讥笑他。

“别去看他”和“别去讥笑他”是一种做人风范，在中国叫作“厚道”。

厚道不是方法，虽然可以当方法训练自己。它是人的本性。厚道之于人，是在什么也没做之中做了很大的事情，契诃夫称之为“教养”。

如果美德分为显性和隐性，厚道具有隐性特征。

厚道不是愚钝，尽管很多时候像愚钝。所谓“贵人话语迟”，迟在对一个人一件事的评价沉着，君子讷于言。尤其在别人蒙羞之际，“迟”的评价保全了别人的面子。真正的愚钝是不明曲直，而厚道乃是明白而又心存善良，以宽容给别人一个补救的机会。

厚道者能沉得住气。厚道不一定得到厚道的回报，但厚道之为厚道就在于不图回报，随他去。急功近利的人远离厚道。

在人际交往上，厚道是基石。它并非一时一事的犀利，是别人经过回味的赞赏。处世本无方法，也总有一些高明超越方法，那就是品格。品格可以发光，方法只是工具。厚道是经得起考验的高尚品格。

厚道是河水深层的潜流，它有力量，但表面不起波浪。

厚道是有主张。和稀泥、做好人，是乖巧之表现，与“厚”无关。无准则、无界限，是糊涂之表现，与“道”无关。厚道的人有可能倔强，也可能不入俗境，宁可憨，而不巧。

厚，是长麦子的土壤之厚，墙体挡风之厚。厚德而后载物，做人达到这样的境界，已然得道。

一毫米的距离

马国福

电视里直播着一场国际比赛。对手分别是中国乒乓球骁将刘国正和德国名将波尔。两强相遇，胜负难分，经过六局的艰苦打拼，仍然不分高低，这让观众的心都提到了嗓子眼儿。到了决定胜负的关键一局，刘国正以12：13落后，如果再输一分就将被淘汰。观众心里都为他默默捏着一把汗。

在这关键时刻，刘国正的一个回球出界。波尔的教练见状后立即起身狂欢，并准备冲进场内拥抱自己的弟子。

戏剧性的一幕出现了，在这一瞬间，波尔立即举手示意，指向台边——这是一个擦边球，应该是刘国正得分！

教练很惊讶，观众也很惊讶，怎么可能呢？就这样，刘国正被自己的对手从即将被淘汰的深渊救了回来，最终转败为胜。

让我们来听听波尔的解释。这个球是否擦边最多只有一毫米之差，观众看不见，对面的刘国正更看不清楚，即便裁判也不可能看得很清楚。但是，波尔看见了，他毫不犹豫地主动示意，将到手的胜利让给对手。记者采访他时问他为什么这样做，波尔的回答是：公正让我别无选择！

你能不感动吗？作为观众的我对一个素不相识的外国球员肃然起敬。依我们世俗狭隘自私的心理，在决定胜负的时候是举手向对方投降呢，还是昧着良心为一毫米的胜利而沾沾自喜？这是一个十分现实而又沉重的话题。

尽管波尔输了比赛，但是我觉得他赢了，赢得光明磊落，赢得无私坦荡，赢得无愧良心。很不起眼的一毫米，在我眼里却成了一个至高的海拔，需要仰视才能看到光芒。

有时候在竞争的道路上，我们不是输在比分上，更多的是输在境界和风度上。一个能够在一毫米中直面良心和公正的人是战无不胜的人，未来不可限量的人。

细节彰显境界，境界成就未来。为人处世，最好处处有这样的一毫米；发展进步，最好人人都尊重这一毫米。

当这肉眼看不清楚的一毫米在人生道路上矗立成一个海拔时，我们就离成功不远了。

淡的意味

王晓河

宋宝罗，著名京剧表演艺术家、国画家、金石家，2006年被评为全国健康老人，谈及养生经验，他有一连串的“不”：在日常生活中，不抽烟，不饮酒，不厌食，不挑食，不信补品，不吃补品；做演员，不走穴；绘画，不卖钱；做人，不拜鬼神，不迷信。如今年过九十，他看书阅报、画画制印，无需戴老花镜，而且血压不高，心脏健康，连腰酸腿疼的毛病都没有。他认为，“淡泊以明志”是人生的最高境界，“淡不是平淡，是绚烂至极也”。

李国文说：“淡，是一种至美的境界。”高山无语，深水无波。绚烂至极归于平淡，不是平庸之平，也非淡而无味之淡，而是素净质朴、宁静深沉，是深邃的执著，是内心的祥和，是深入的淡定，是物我两忘的境界。作为做人的一种准则和风格，它是对人生的深层领悟，是人生境界的极致。

奋斗者可敬，进取者可钦，所向披靡者可佩，热烈拥抱生活者可亲；但是，从容而不急趋，自如而不窘迫，审慎而不狷躁，恬淡而不凡庸，也未始不是另一种积极。淡是一种醒悟和超脱，坚持“有所不为然后有所为”，特立独行而非趋炎附势，稳重坚韧而不浮华躁动，义无反顾而举重若轻。

2006年6月26日《光明日报》刊发一篇文章《朱熹平猜想》。其中有这么一个情节，记者问：“世界上有那么多数学家在主攻庞加莱猜想，为什么你能取得成功？成功的条件和原因是什么呢？”“我也不知道。”朱熹平说：“我慢慢悠悠慢慢悠悠地做着，一点也不急，忽然，就解开了。”话轻巧，蕴淡然，不急功近利，有条不紊；不浮躁，不温不火，十年磨剑，临门一脚，破门封顶。“淡”字功不可没。

无独有偶，2006年全球数学最高奖——菲尔茨奖得主之一，俄罗斯数学家格里戈里·佩雷尔曼，自从在因特网上发表了三篇关于庞加莱猜想的重要论文之后便销声匿迹，并在获得本届菲尔茨奖后表示拒绝组委会的与会邀请，拒绝在会上发言，拒绝领奖。佩雷尔曼是一位很有个性的数学家。早在1996年，他获得了四年一度的欧洲数学协会颁发的杰出青年数学家奖，当时他就拒绝领奖。他不计名利、拒绝诱惑，只是埋头搞数学研究；他深居简出，不向杂志投稿，回避记者的聚光灯。佩雷尔曼的朋友说：“佩雷尔曼对物质享受毫无兴趣，他需要的是数学，而不是奖赏、金钱和职位。”更有多位学者及媒体称他为“不被名利征服”的人。

把事业看得神圣，把名利看得轻，宁静而致远。淡泊，不经心在意，却是一种坚守；淡然，无影无形，却是一种大智慧。淡者质朴、清淡、简约，无旁逸斜出，无繁冗奢华，有的只是一如既往，艰苦奋斗；淡者宽容、谨慎、执著，从不忘乎所以。淡是底色，成就华章。心灵淡然若水，人生便如行云流水，轻盈飘逸。大家大成莫不如此。

钱锺书先生说过这样的话：真正的学问，大抵是荒郊野屋中二三素心人之所为。生前，他拒绝与各种形式的“钱学”研究相配合，拒绝别人为他编集出书。死后，立下这样的遗嘱：“遗体只要两三个亲友送送，不举行任何仪式，恳辞花篮、花圈，不留骨灰。”

李叔同一日早上在一老友处用饭，只要了一碟腌萝卜，一杯白开水，一碗大米饭。老友于心不忍，想给其添菜，便笑着问："你不嫌腌萝卜咸，白开水淡？"弘一大师笑着说："这咸有咸滋味，淡有淡味道。"画坛大师丰子恺听说此事后感慨地评价说："人生本如此，咸淡两由之。"

淡，不是平淡无味，而是有取有弃，有收有放，有失有得。人们应该抱有这样的人生态度，在社会上尽可能地积极进取，只是内心深处要为自己保留一份超脱，一份淡然。

生活细节

许云倩

夸张地说，细节有时候可以决定命运。这是我那天在电视里听宋丹丹谈婚姻爱情时想到的。宋丹丹说，她的一个女友在一次旅途中对一位男士特别有好感，可是仅仅因为那男士偶尔露出了一个带土气的字，什么美好的感觉都破坏殆尽了。

还在大学时，我的一位女同学也曾发表过同上述观点相似的说法。她说，假如一个男同胞在她面前打个嗝，那么哪怕他再优秀，也绝无同他发展下去的可能。这话多少有点孩子气，也近乎苛刻了，但有时候，这样的细枝末节还真能左右人的选择。记得很久以前我父亲的一个学生经人介绍认识了一位容貌平平的姑娘，第一次见面后他决定继续保持联系的一条重要理由就是：当他们在看电影的时候，那个女孩吃完了手中的冷饮后，把包装纸缠在木棒上始终拿在手里，直到走出影院才投进垃圾箱。她做得非常自然，不像是故意做出来的。仅此一个细节，她体现出了自身的教养；仅此一个细节，他们终于喜结连理。另一个女友在决定终身大事时，也强调一个细节，有一次那位先生在离开宾馆的房间时，将房间里的灯一个一个关掉，那一瞬间，她决定：就是他了！

对于细节的敏感不仅仅体现在婚姻恋爱的选择上，在日常生活中，对于一个人的评价，也时常要受到一些细节的影响。记得一个蛮有名气的女作家曾表示，她无法忍受异性肩膀上的头皮屑。我呢，比较注意的是走玻璃弹簧门。很多人进门后便潇洒地一放手，根本不顾跟进的人受他一撞。每次走到门前，只要前面有人，我都基本做好被撞的准备，缓步或用手去挡。有时候，我还离门好远，一个不相识的人在那里为我挡着门，直到我接过那扇门，我会非常感动，很唯心地想，这样的人，一生大致不会做什么坏事。

树与草

邢家伦

一位哲人料定，一个人的性格可以从三件事情上表现出来：饮酒方式、花钱方式和愤怒方式。

一个自律的人，为什么要烂醉如泥呢?

一个自制的人，为什么要浪费财富呢?

一个自强的人，为什么要滥发淫威呢?

当一个很容易被激怒也容易平息下来的人，他的所得被他的所失抵消了的时候，另一种人却显出了圣人风范：他很难被激怒却很容易平息。

“知道自己正确而能沉默到底的人，他的力量是多么的强大。”这是康德的声音。而老托尔斯泰说得更具意气：“争论通常并不在阐明真理，而是越弄越不清楚。真理本身显得那么明朗化，无须争论也能被接受。”

有教养的人，在得志和失意时都能表现得达观和低调。而不幸的人，得志和失意都可显出各自的俗气。

树与草，没法类比。

四、相与之道

成功是个相对数

流　沙

许多成功人士出席了一个慈善酒会，参加的每一个人都是千万富翁。

但是，有一位在报社写专栏的作家捐了5万元，也作为特邀嘉宾出席了酒会。

他们中的每一个名字都是这个城市的荣耀，而且他们之间都十分熟悉，他们手中端着红酒，面带笑意地交谈着。

只有专栏作家一个人静静地坐着，没有人理睬他。

一位骄傲的先生来到了他的面前，问："请问你是……"他说："我是一个专栏作家。"

骄傲的先生听了，问："那么你捐了多少钱？"

专栏作家说："5万元。"

这位先生听了哈哈大笑："你可能走错了地方，这里是千万富翁的俱乐部，我们都捐了100万元，而且我们都是成功人士。"

专栏作家说："我捐了我所有财富的25%，而你们只捐了1%，请问谁更有资格呆在这里呢？"

这位骄傲的先生听罢，哑口无言。

这个故事让我想起海尔公司的总裁张瑞敏说过的一句话："小不是美，大也不是美，只有由小到大才是美。"他提出了一个相对概念，凡事只有经过相互比较之后，才能分辨什么才是真正的美。从这个意义上说，专栏作家要比千万富翁更富有爱心，更有资格出席慈善酒会。

我们的社会常常以财富的绝对量作为评判成功的标准，所谓的成功者就是"一览众山小"。其实，上天赋予每一个人的社会背景、才智资本和机遇是不平等的，成功不可能以统一的标准来衡量。譬如我们不能说一个打工者一年赚1万元或者一位老师教育了数以千计的学生是不成功的，相对于他们个人而言，其成就感绝不会输给比尔·盖茨。真正意义上的成功应该是一次次对自己的超越，而不应以财富的绝对量来衡量。

给孩子以信任

陆炳生

上中学的儿子给我和他妈讲了一件事，使我们觉得孩子们十分有趣，同时也令我们做家长的深思。

儿子说，有位同学对其母亲总是能发觉他在家里看电视而大惑不解。经过长期的观察，才发现其家长是将电视的电源插头摆放在一定的位置。家长见电视电源插头挪动过，就知道孩子在家开过电视机。这位同学吃一堑长一智，后来偷看电视前，总是仔细观察电视电源插头、电视遥控器的摆放位置，甚至绘出草图。一旦偷看电视完毕，就又依先前的模样还原。

另一位同学偷看电视节目，事后也总是被家长发觉。他经过反复研究才明白，家长是在每次关电视前，有意将电视调到30频道，并将音量调至最小。待孩子偷看了自己喜爱的电视节目后，又不知还原成30频道和小音量。家长再一开电视，也就轻易地发觉了。这位同学，此后加以“技术改进”，偷看电视节目后，也调到30频道和小音量，居然也能躲过家长的检查。

还有位同学介绍的经验更加叫绝。他在家偷看DVD，为了不让家长回家后，用手摸出DVD和电视机发热，从而发现其秘密，特意用电扇给DVD降温。电视机上不便放电扇，这位同学就拆下旧电脑里的小电扇，临时安装在电视机上，给电视机降温。

听儿子讲这些趣闻，我感到现在的孩子都很有心计，道高一尺，魔高一丈，能运用现代科技手段对付家长，比我们小时候的技术高多了。儿子能将他的同学们偷看电视节目的绝招儿讲给我和他的妈妈听，至少说明他对我们有相当的信任感。

我和他妈妈从不检查儿子一人在家时是否偷看过电视节目，是否上过网。尽管他也十分酷爱看电视，很想上网。假如我们也采取同样的方式对待他，他反而会产生逆反心理。

在经济上，我们也从不清查儿子零花钱的收支情况，也从不担心儿子会私自拿家里的钱，对他充分信任。

假如有时孩子撒了一个小小的谎，只要不是什么原则问题，我们都不去揭穿他。家长只有对孩子加倍信任、加倍尊重，他们才会敞开心扉，主动与你沟通。

公鸡的过错

王　晔

一只公鸡早晨起来报晓，天亮，被主人提出来杀了。

又一只公鸡早晨起来报晓，天亮，被主人提出来杀了……又一只公鸡早晨起来报晓，天亮，还是被主人提出来杀了。

邻居不解，问："这些公鸡每天报晓都挺准时的，你杀它们干什么？"

那人说："早晨我有晚起的习惯，它们却叫得很早。"

邻居说："这不是它们的过错，报晓是公鸡的天职。"

那人说："这个我不管，我需要的是和母鸡交配的公鸡，而不是报晓的公鸡。"

邻居说："可公鸡是不能不报晓的，你难道不能用另外一种方式来解决问题吗？"

"这个很难，"那人说，"我曾想割掉它们的嗓子，后来又想扎上它们的嘴，可这样太麻烦，而杀它们却很省事。"

“那你为什么不改变一下睡觉的习惯呢？”邻居疑惑地问。

“改变我的生活习惯，这怎么可能呢！”那人说，“我有这个习惯已几十年了，怎么会为几只公鸡而去改变呢？再说我是主人，它们应该符合我的需求，它们的行为与我发生矛盾时，受损失的只能是它们，怎么会是我呢？”

于是那人一直保持着杀鸡的习惯。

往往大人物只消做出一点点让步就可解决的矛盾，却要小人物付出巨大的牺牲乃至生命。在改革的过程中，总会遇到这样或那样的矛盾，是你去适应别人还是别人适应你呢，这实在是一个值得深思的问题。

帕金森定律

英国著名历史学家诺斯古德·帕金森通过长期调查研究，写了一本名叫《帕金森定律》的书。他在书中阐述了机构人员膨胀的原因及后果：一个不称职的官员，可能有三条出路。第一是申请退职，把位子让给能干的人；第二是让一位能干的人来协助自己工作；第三是任用两个水平比自己更低的人当助手。这第一条路是万万走不得的，因为那样会丧失许多权力；第二条路也不能走，因为那个能干的人会成为自己的对手；看来只有第三条路最适宜。于是，两个平庸的助手分担了他的工作，他自己则高高在上发号施令，他们不会对自己的权力构成威胁。两个助手既然无能，也就上行下效，再为自己找两个更加无能的助手。如此类推，就形成了一个机构臃肿、人浮于事、相互扯皮、效率低下的领导体系。

苛希纳定律西

西方管理学中有一条著名的苛希纳定律：如果实际管理人员比最佳人数多两倍，工作时间就要多两倍，工作成本就要多4倍；如果实际管理人员比最佳人数多3倍，工作时间就要多3倍，工作成本就要多6倍。

达维多定律

达维多定律是以英特尔公司副总裁达维多的名字命名的。他认为，一个企业要想在市场上总是占据主导地位，那么就要做到第一个开发出新产品，又第一个淘汰自己的老产品。这一定律的基点是着眼于市场开发和利益分割的成效。因为人们在市场竞争中无时无刻不在抢占先机，只有先入市场才能更容易获取较大的份额和较高的利润。

择友宜慎

Andrew Matthews　陈毅平 译

跑步上公厕的事你干过没有？厕所里气味好难闻，呛得你连气都喘不过来。但是情况紧急，你还非去不可。

你注意到没有？五分钟后再出来，好像并不是很难闻嘛！

要是你一不小心在里面关上一个小时又会怎么样呢？你也许会说："哪有什么怪味？"

这说明了什么道理？这说明不管环境怎样，人都会逐渐适应。

如果你不抽烟，周围也没人抽烟，你压根儿就不会想抽。但如果你的朋友都抽，你还经常去那些烟雾缭绕的酒吧，你渐渐就习惯了，迟早会上瘾！

如果你朋友撒谎，一开始你还担心。用不了多久，再有人说谎，你就习以为常了。跟这些人呆的时间一长，你也会开始撒谎。

老跟愁眉苦脸的人在一起，你也会变得愁眉苦脸，还以为这很正常！总和喜欢挑剔的人交往会变得很挑剔，还以为挑剔别人很正常！

结交心情舒畅、积极向上的朋友，那么你也会心情开朗、追求上进，以为正常的生活就是这样。

不要骗自己说朋友对你没有影响。

如果亲友消极悲观、郁郁寡欢，那么你需要找些积极向上、性情快活的朋友。人这一生，乐天的朋友不可少，否则悲观者会害得你意志消沉，而你还浑然不觉。

简言之

我们每天都会受到周围人的影响。有时我们需要采取行动，或者结交新朋友，趁我们还能说“这儿有股怪味”的时候。

别人怎么看

规则1：不会每个人都同意你的看法。

规则2：这没什么。

规则3：不会每个人都喜欢你。

规则4：这也没什么。该怎么过还怎么过。

你在乎别人怎么看吗？当然！谁都在乎。谁都希望别人说自己帅气、聪明、可爱、有趣，但不会每个人都喜欢你。怎么办？想开点！

交友之态

易中天

所谓“交友之态”，就是结交朋友的意向和态度，也指人世间社交的常态，即“世态”。所谓“君子之交”和“小人之交”，也可以说是两种“交态”，但那只是两个极端。因为世上真正的君子和真正的小人都不多。大多数人，处在君子与小人之间，不妨称之为“常人”。常人的“交态”也就是人世间社交的“常态”。

通常的“交态”，有以下几个特点：

第一是“有目的”。常人交朋友，都是有目的的。这种目的，不一定是小人那种急功近利的目的，也许只是觉得人生在世，不能没有三五友人。“在家靠父母，出门靠朋友”，“一个篱笆三个桩，一个好汉三个帮”，没有朋友，就无法自立于人世，也无法做人。所以，就大多数人而言，都会有意识有目的地去寻找和结交朋友。大体上说来，这些目的又可分为三类：一类是为了事业，或是寻找事业上的指导者，或是寻找事业上的支持者，或是寻找事业上的参谋者，或是寻找事业上的合作者，如古代大政治家的“广纳天下之士”，或学者诗人的“四方寻师访友”，都属于此类。一类是为了生活，比如工作上有个方便，生活上有个照顾，在遇到紧急情况和特殊困难（如生病住院，购买车票等）时有个帮衬，这些都需要有朋友，否则便寸步难行，投靠无门。还有一类是为了心灵的交流。每个人都有自己的感情，这些情感都需要与他人交流；每个人都有自己的遭遇，这些遭遇都需要向他人倾诉；每个人都有自己的隐秘，这些隐秘有时也需要向一两个人透露，否则憋在心里会生病的。但是，自己的家人、亲人并非都能充当交流、倾诉和透露的对象。比如夫妻感情不和，就不能向丈夫或妻子倾诉。又比如初恋的秘密，有时就不能向父母透露。这就需要朋友，以便把一些不能对父母亲人讲的话讲出来。中国传统文化把“朋友”和“君臣、父子、夫妇、兄弟”一起，列为最重要的五种伦理关系，称为“五伦”，不能不说有其独到精辟之处。

第二是“趋利害”。“趋利避害”本为人之常情，更何况是有目的地交朋友，当然就不能完全没有功利的考虑，也不能一概地斥之为“小人”、“不义”。一个人在选择和开始交朋友时，两人之间，尚无“情义”，如果“趋利避害”，又怎能说“不义”？历史上如信陵君之结交侯嬴，公子光之结交专诸，严仲子之结交聂政，燕太子丹之结交荆轲，都有明显的功利目的，也都未被视为“不义”，又怎能要求常人之交往，完全不计利害？严格说来，只有那些共富贵而不共患难，为小利而忘大义，卖友求荣，一阔脸就变的人，才是忘恩负义的小人；也只有那些不顾身家利害，甚至承担着风险，仍要去结交身处逆境甚至困境中朋友的人，才是大义凛然的君子。处于二者之间的是常人。常人在初交时趋利避害，是应予理解的；若能在对方失势落难时仍维持友谊，便更是难能可贵，应视同君子了。

第三是“多离合”。常人交友，既以需要为目的，则需要发生变化，朋友关系也会发生变化，或加深，或疏远，或转移。所以常人的朋友关系，往往会不断地重新组合，老朋友渐次疏远，新朋友纷至沓来。这既是一种正常现象，也不妨说是一种“好事”，因为能扩大交往的范围。中国传统伦理观念视朋友如夫妻，一味强调“从一而终”，既不现实，也不尽合理。因为对人的认识要有一个过程，在交往过程中，如发现对方与自己志趣不同，性情不合，道路有异，亦不妨说声“再见”，从此各奔前程。单方面强调“从一而终”者，往往都有一种“霸气”，以一己是非为是非，以一己善恶为善恶，要求朋友处处与自己相同，事事与自己相合，倘有异议，便视为“叛徒”，这其实是“同而不和”。其结果，不是变成“小人之交”，便是变成“孤家寡人”。许多人终生无一知己，道理往往在于此。如果还要以“古来圣贤皆寂寞”来作遁词，便未免有点阿Q精神了。“古来圣贤皆寂寞”，多因其思想超前，观点独异。但圣贤固然多寂寞，寂寞者却不一定都是圣贤。非圣贤而又寂寞的人，多半是心理过于狭隘之故。狭隘并无好处。因此，我们还是把自己的心理调整到常态为好。

婚姻的成本与收益

佚　名

一位经济学博士过了多年的单身生活，感到厌倦，于是想要结婚。但他又怕婚姻不如想象中的好，于是，按照经济学关于成本与收益的原则，他列了份清单。

先算收益：第一，两个人贷款供房。第二，两个人赚钱养家。第三，遇事有人商量。第四，下班回家有人做晚餐。

第五，下雨天有人给自己送伞。

第六，病了有人陪着去医院。

第七，出差到外地，有人在家照看猫咪。

再算成本：第一，不能随意带女人回家。

第二，不能送朋友贵重礼物。

第三，不能自己做决定。

第四，下班后不能回家太晚或不回家。

第五，家里至少要准备两把雨伞。

第六，如果她病了你也要陪她去医院。

第七，出差外地，回家前千万不能忘了买礼物。

结果发现，收益和成本相等。每一条收益，都需要等量的成本。博士有些不知所措。他想了又想，决定遵照风险定律，在成本与收益相等的情况下，选择另一种未体验过的生活。

不久，博士结婚了。

没有想到结婚第三天，他就后悔了。那天，他们为了一件小事吵了起来。他一生气推了她一下，她扑了过来，双手对准他的胸打了无数下，还又哭又闹。博士费了九牛二虎之力，好不容易才将她哄好。虽然战争只用了一天，但接下来的一个星期，他都无法集中精力读书著文。这时候，他才明白自己错了。他在计算成本和收益的时候，没有把感情计算进去。因为感情是无法量化的。“怎么办？离婚？”天哪！博士吓了一大跳，这样一来自己所付出的一切就都变成了沉没成本，那简直是要他的命。不行，至少应该在成本沉没之前，先平衡一下收益。

现在，10年过去了，博士已经成了两个孩子的父亲，事业上也是硕果累累、著作等身，成为业内知名人物，人们把他称为经济学家。最近，他的又一本新作出版了。有记者采访他，问他成功的经验。他耸耸肩，笑笑说：“没什么，只不过是为了平衡收益。”

两种贫穷

瑜　光

一

这是两个人写的。

一个人写道：一位富甲一方的企业家到西南某省的一个贫困地区考察。当他目睹当地一户贫困人家吃饭的情形时，禁不住直落泪。原来这户人家全家老小吃饭装饭的碗，竟是几只破得不能再破的陶罐，更让他吃惊的是全家连一双筷子也没有，吃饭时都是直接用手抓。

菩萨心肠的企业家无比地同情，便许诺给这户人家物质的帮助。可是当他走出他们的家门后，又马上改变了主意：他看到这户人家的房前屋后都长着极适合做筷子的竹子。

另一个人写道：一位记者到一位生活在贫困线以下的女工家里“送温暖”。这位女工的男人早几年病逝，欠下了好多钱，两个孩子，其中一个有残疾。女工微薄的薪水养三个人，还要还债。但记者在见到这位女工时，却发现她脸上的笑容就像她的房间一样明朗：漂亮的门帘是自己用纸做的，灶间的调味品尽管只有油盐两种，但油瓶和盐罐却擦得干干净净。记者进门时女工递给她的拖鞋，鞋底竟是用旧解放鞋的鞋底做的，再用旧毛线织出带有美丽图案的鞋帮，穿着好看又暖和。

女工说，家里的冰箱洗衣机都是邻居淘汰下来送给她的，用用蛮好；孩子很懂事，做完功课还帮她干活……

二

这是两个人看到的。

一个人看到：在一个美丽的乡村，一天来了一个乞丐，这个乞丐看上去只有30来岁，长得很结实。乞丐每天端着一个破碗到村民家中讨饭，他的要求不高，无论是稀饭还是馒头他从不嫌弃。

日子稍稍长了，便有人看中他的身材和力气，想让他去帮着打打零工，并许之以若干工钱。岂料此等好事，该乞丐竟一口回绝。说：“给人打工挣点钱多苦，远不如讨饭来得省力省心。”

另一个人看到：每天傍晚，某居民新村都会有一个老人到垃圾箱里捡垃圾。老人是个驼背，这使得他原本就矮小的身材愈发显得矮小。老人每次从垃圾箱里拾垃圾都仿佛是在进行一场战斗。为了拾到垃圾，他必须将脸紧紧地靠在垃圾箱的口子上，否则他的手就不足以够到里面的“宝贝”。而那个口子正是整个垃圾箱最脏的地方。

老人每次拾完垃圾都像打了一场胜仗，他完全不会顾及别人脸上的那种鄙夷。看着那些可以换钱的“战利品”，走在新村的小路上，他总是显得格外的高兴。

三

这是两个人说的。

一个人说：同样是贫穷，一种是不思进取的懒惰，一种是直面生活的勤勉；一种是人格的湮灭，一种是不屈的抗争。两种境遇确实让人唏嘘。

另一个人说：是呀，同样是贫穷，有的人会贫困潦倒，有的人却心在梦在。难怪有人断言，物质上的贫穷并不可怕，可怕的是精神上的贫穷。

男人想让女人知道的8件事

高　晶

1. 男人爱听赞美的话，不过必须是发自内心，决不可虚情假意。

2. 星期日意味着体育时间，而且不只是一项或两项，而是全天的体育运动。

3. 说出你的想法、你想要的和你自己的感受。直来直去，不要暗示，不要绕弯子，也别打哑谜，男人没那么细腻，他们天生就不擅此道。

4. 你要化妆，那越淡越好。

5. 经常对他的才气、能力、魅力加以表扬，而对他的缺点、局限和错误却常常忽略不计。这对于男人来讲就好像女人见了钻石，是非凡、卓越、无可比拟的珍宝。

6. 发自内心、大胆、没有掩饰的愿望（让他觉得你想他想得连自己的名字都忘了）对男人来说是最具性感魅力的。

7. 调情是性感，逗弄是残忍。千万别把两者混淆，否则必生怨恨之心，伤害极深且挥之难去。

8. 在一些特殊场合拿不准送他什么礼物时，如在生日、纪念日或只是“今天是星期二我就是想说我爱你”的特殊时刻，记住F.斯科特·菲茨杰拉德说过的话：“你送别人最好的礼物就是以别人所期待的方式来对待他。”

总是谈不对题

〔德国〕阿米莉·弗里德　　汤桓　译

男人与女人之间存在许多误解的可能。几乎可以说误解是男人和女人沟通的常态，如果他们哪次正确理解了对方，那倒是偶然事件了。

让我们看看下面一段每天都可能发生在夫妻间的对话：

她说："我们一起出去好好吃顿饭吧！"（她的意思是：过去太忙，错过许多，我想这次和你呆在一起。）

他说："为什么我们要出去，在家吃挺舒服的。"（他的意思是：自己做便宜，而且可以很快上床。）

她说："我就想去有人的地方。"（她的意思是：我想炫耀一下我的新衣服，而且想让你换一身衣服，不要总是穿那套旧睡衣。）

他说："我原以为，你只想和我单独在一起。"（他的意思是：你感到和我在一起如此无聊。）

她说："去了餐馆，我们也能在一起啊。"（她的意思是：我就是想体验一下有人服务的感觉。）

他说："你做饭特别好吃。"（他的意思是：只要你做饭，我就能看拜仁慕尼黑VS沙尔克04上半场的比赛了。）

她说："我今晚没兴趣做饭。"（他理解为：我对你没兴趣。）

他说："反正我今晚有个会，可能晚点儿回。"（他的意思是：那我就和兄弟们看比赛。她理解为：我有比和你吃饭更有意思的事。）

她说："你不再爱我了。"（她这回说真的了。）

他说："你怎么有这种想法？"（他的意思是：如果你对房事不感兴趣的话，至少也让我看完足球比赛吧。）

她说："我就这么觉得。"（她的意思是：你真是个榆木疙瘩。）

他说："你胡思乱想。"（他的意思是：你这几天是不是特殊期啊？）

她说："我想我们应该分开。"（她的意思是：你现在快抱我一下！）

这种对话的结果家家不同，但有一点可以肯定：男人和女人总是各说各的，根本没有注意到对方实际的意思。谈话双方总是认为对方所说即所想，但是双方本是话里有话的。

男人和女人的谈话产生误解，因为不少概念对男人和女人来说，理解是完全不同的，就像下面的例子：购物对于女人是舒服地、数小时地在商店和购物广场闲逛，偶尔试几件衣服，其间喝喝咖啡，吃吃糕点。对于男人是有目的地寻找商店，直冲要买的东西而去，最多试两次，至多十分钟后离开。性对于她是证明她的爱依然存在，对于他是证明他的本能依然存在。

结论：爱一个人，不一定要理解他。

贫穷的和富有的

叶兆言

有的人永远贫穷。我认识一家人，买什么东西都不肯落后，就是这不肯落后，害得他一直闹经济危机。你永远听他抱怨钱不够用，因为缺钱，永远牢骚满腹。我们谈到西方发达国家，常说那里的老百姓喜欢消费在前，凡事都预支，动不动就贷款。我认识的这家人，新潮的消费观念似乎也像发达国家的老百姓，有理无理，也是先享受起来再说，然而最大的区别在于，外国人的提前消费是有谱的，人家有能耐挣钱，人家把自己的负债当做是一种奋斗的动力，不像我们，负了债就觉得老天不公平，觉得天下人都负了他。

我还认识一个人，他的消费观念恰恰相反。钱放在银行里，始终不肯拿出来用。银行的钱不用，平时的收入，一定要省下一部分再存起来。这种人永远吝啬，所有的精明和智慧，都体现在如何占别人的小便宜上。十几年前，他银行中的存款比我的十倍还多，和我在一起，却总是我花钱。不在别人身上花钱，也就算了，关键的问题，是还舍不得在自己身上花钱。二十年前，万元户是个不得了的事，那时候有一万块钱，根据当时的生活水平，似乎一辈子的吃喝都不用发愁。一万块钱在今天能干什么，这账已经用不着我来算，于是我认识的这个人，当年有钱的时候很贫穷，现在一样贫穷，等于从来就没有富有过。他对这个社会的不满，也就显而易见，因为他总想不明白自己为什么总是贫穷，而且越来越穷。

值得一提的是，我这里提到的贫穷，大都是身边的人和事，和那些偏远山区穷困县无关。我所说的，只是一种相对的穷，因为在我们身边，有钱和没钱，从来就不是绝对的。

贫穷和富有，只有通过比较，才能感觉出来。有比较才有鉴别，有了鉴别，才能把问题想明白说清楚。有三十四英寸大彩电的人，他可以觉得自己比那些拥有二十一英寸彩电，包括比那些已买了二十九英寸彩电的人更富有。骑摩托车的人，他可以觉得自己比拥有私家小汽车的人穷得多。因此，贫穷还不仅仅是生活方式，说穿了还是一个心态的问题。

再说我的一个朋友，十年前，他的妻子没有工作，刚生了孩子，房子不理想。那时候我和他还是同事，单位里常常发一些鲜鱼鲜肉，他就发愁，说发这么多鲜肉干什么，他又没有冰箱，根本来不及吃。他很大度地要把这些鲜肉送一部分给别人。我至今还十分欣赏他的生活态度，因为我觉得他始终有一种健康的心态，从来没有因为一时的贫困潦倒，显现出任何怨天尤人的样子。

我的这位朋友，现在也没有发大财，但是经济状况已经完全改变。如今他脚上穿的是一千多块钱一双的皮鞋，出门常常坐出租。他花自己的钱很舍得，去澡堂洗澡，请师傅擦背，付小费的派头仿佛大款。他花自己的钱花得喜气洋洋，自得其乐。他没有因为过去曾经窘迫过，就赶快拼命存钱，只是觉得自己现在这么消费，很正常，就像过去没钱时不买冰箱一样合情合理。困难的时候，既没想到跟别人借钱，更谈不上借钱不还；有钱的时候，也从来不在别人面前摆阔，笑谁谁谁小气。不妒人有，也不笑人无，他的心态永远富有。

如果贫穷只是一种现状，这没什么关系，人来到世界上，就是为了改变现状。

一个积极想改变现状的人，其精神永远是富有的，精神的富有是我们这个世界越来越好的重要保证。如果贫穷偏偏只是一种心态，这种心态不加以克服，社会不但得不到发展，还会跌入只要我不好，大家也别想好的怪圈。精神的贫穷是很多灾难的根源之一。

人性的特点

蒋光宇

美国一所大学的社会学教授，做了这样一个实验。

他要求学生们在下面的三种情况下，选择其中的一种，对其进行捐助。

一是非洲中部遭遇严重旱灾，许多人正面临死亡的威胁。

二是大学中一名成绩优异的学生，因为无力负担学费，已处于无法继续学习的困境。

三是购置一台复印机，放在系办公室里供学生们使用。

学生们以不记名方式选择，结果有百分之八十五选择捐钱买复印机；有百分之十二的学生选择捐钱资助成绩优异的学生完成学业；只有百分之三的学生，选择捐钱援助非洲的难民。

这个实验一方面说明每个学生都程度不同地关心他人的困难，愿意给予帮助；另一方面说明大多数学生更关心与自己切身利益相关的事情。

当然，如果引导得当，学生们的选择也会有所变化，也会表现出更多的无私奉献。

无私奉献是高尚的，但是，对更关心自己切身利益的选择，也不能简单地全盘否定，其中也有积极因素。明白人性的这个特点，并妥善地加以引导，可以成全许多有益的事情。

一趟客运列车，曾为冬天乘客不肯随手关门而大伤脑筋，于是在每节车厢里贴了一张告示："为了大家的舒适，请随手关门。"告示贴出后，情况虽有所改变，但收效不是很大。后来，列车长想出一个新的方法，将告示改写成："为了您自己的舒适，请随手关门。"

从此以后，车门基本上都关好了。

希望别人怎样对待自己，自己就要怎样对待别人。自己怎样对待别人，别人也就会怎样对待自己。给人一束玫瑰，会留下一缕芬芳。帮助别人，就是帮助自己，即使不是直接地帮助自己，也是间接地帮助自己。

识破谎言

李 嘉

当你因为迟到或做错了事而编造一些无伤大雅的谎话时，有没有想过，你的遣词造句也会像匹诺曹那个一说谎就会变长的鼻子一样，成为你在撒谎的信号？

美国得克萨斯大学近日作了一项专门的研究——“谎言的真相”。他们发现，由于潜意识的作用，撒谎者在说谎时会不自觉地留下一些语言上的“破绽”。约有上百人参与了这项研究，他们被询问关于喜不喜欢某人，或是对于失败的看法等问题。研究人员通过一种名为“语言调查”的计算机程序来测试他们的反应，以检测他们回答的真实度。

结果研究者们发现，有三分之二的谎言在语言表述上都具有以下三方面的特征。

1.要交接班了，你的同事打电话来说，她无法及时赶到，你得再坚持一阵子，理由是：“车出了问题，发动机发动不了。”

是谎言吗？很可能。“为了竭力使自己同谎言保持一定的距离，说谎者在叙述他们的故事时都会下意识地避免使用第一人称‘我’这个代词。”专家说。

更可信的说法是：“我努力让自己的车发动起来，但它老是熄火。我已经给修车公司打过电话了，我会尽快赶来的。”

2.你的男朋友答应你，他会准时回家同你一起看“周末剧场”，可到了凌晨4点他才露面，理由是：“我在吉姆家喝酒，结果喝多了，睡着了。”

是谎言吗？有可能。“说谎者在编故事时通常会避免讲一些细节，这样有利于使他的整个故事更简略。”专家说，“如果你在撒谎，你不仅要虚构一个根本不存在的故事，而且你还要把它编得让人信服，所以你会非常心虚。在这几种压力之下，你还编得出细节吗？所以大多数时候，说谎的人都是非常简练地告诉你故事大概就完了。”

更可信的说法是：“吉姆生日的时候，他的叔叔送了他一瓶高度数的波旁威士忌酒。我原本只想喝一小杯的，结果吉姆灌了我一杯又一杯，当我起身准备回家时，连路都走不稳了，我一屁股坐在他的床上，然后就睡着了。”

3.你的朋友没有来赴宴，理由是：“那个晚上真是太倒霉了。先是我的汽车轮胎没气了，然后又不得不送我的邻居去医院，所有一切都太不顺了！真是气死我了！”

是谎言吗？极有可能。专家指出：“因为说谎者通常都会对自己的谎言心存内疚，同时又担心被人识破，所以他们说谎时常常会强调一些消极的情绪，比如生气、焦急等等。”

更可信的说法是：“我在路上时，车出了毛病，当我好不容易回到家中，又发现我妈妈的一个朋友需要送到医院去。”

太刻意行事

你想过没有，为什么大家都喜欢婴儿？原因之一是婴儿不在乎你喜不喜欢他，想吃就吃，想叫就叫，想闹就闹，想拉屎放屁就拉屎放屁，全不在乎。

婴儿不会刻意讨人喜欢。人在婴儿时期不必帅气、聪明、性感或机灵。

有意思吧？婴儿不在意别人怎么看——大家就喜欢他这一点。

这里有一点值得我们学习：保持你的本色。这不是说你应当行为粗鲁、为人自私，而恰恰说明我们有时候过于刻意行事。

凡事不要操之过急。

例1：玛丽迫切希望有个爱她的男朋友。她这么狂热，能找到男朋友吗？不见得。她这么迫切会把所有男生吓跑。其次，心情一迫切她就不那么可爱了。

例2：有一次聚会你见到一位靓妹，她对你说：“我下个星期给你打电话。”于是这一个星期你哪儿也不去，连厕所也不上！你坐在电话机旁苦苦等待。谁打电话来了？我打了，他打了，偏偏她没打。在你无所事事坐等的时候，该发生的似乎从不会发生。

从中可以悟出什么道理？千万不要为了谁而无所事事。人应生活在现实中，不能闲着，不能为了某人某事连空气都不呼吸。

假如你在等男朋友的电话、求职的结果或者寄来的支票，你就该干什么干什么。

这一切无法从逻辑上加以解释，但你在自己的生活中很可能认识到了这一原则。你眼巴巴地等着某人某事出现，结果什么都没发生。

谁也不能拥有世界

柳　君

儿子要一只瓶子，我没给。他就大哭，任何人都哄不乖。半个小时后，他的哭声停了，第一句话还是："瓶子。"

我说："瓶子已经扔了。"他又哭了。母亲站在一边说："他才两岁，再哄哄他吧。"

于是，我给他讲了许多谎言，譬如瓶子像水一样蒸发了，被我吃下去了等等。

儿子说："瓶子，我要。"我所做的一切都白搭。

成熟与非成熟的界限据说是妥协，一个人什么时候知道有所放弃，他就长大了。

人之初，所有的欲望都像野地里的草一样没遮没挡地生长，因为不知天高地厚，他们希望把天上的月亮也摘下来玩。

一个暴君的欲望远没有一个孩子那样强烈，每个孩子的欲望都会让任何暴君自惭形秽。

我们为什么教育孩子？很大程度上就是让孩子不要贪得无厌，但又要保持他们必要的虚荣和欲望。

我带儿子到街上玩，街上很热，儿子让我拦过往的车回家，我告诉他这是别人的车，爸爸不能拦。儿子看到快餐店的门口有他爱吃的小笼包，他伸手要拿，我说："这是别人的，如果要，只能用钱来买。"

我的外甥七岁那年拿了别人水果摊上的一颗杨梅，他的姐姐回家告诉了我姐。我姐打了他一顿，外甥哭道："我只是拿了一颗呀，而且半颗已经烂了的呀。"

我姐说："一颗也不行，除非你自己赚钱去买。"

现在，外甥对我说："我以后要赚很多钱，我想开一家水果店，想吃什么就吃什么。"

他仍然有欲望，但是这个欲望已经有了前提，需要十年、二十年，甚至更长的时间去实现。

我们对孩子所做的，有时候，就是想告诉孩子，这个世界并不是我们的，我们只拥有其中很小很小的一部分，而且还要付出足够大的代价才能拥有。

随身带上十五个习惯

亚　萍

1.虽然有电梯，但也经常走走楼梯。

2.等公共汽车时，不一直紧盯着车来的方向。

3.上班和下班，偶尔走走不同的路线。

4.不是很熟的人，也不妨跟他打个招呼。

5.不整天问别人对自己的看法。

6.有机会就仰天注视一下天空和云朵。

7.敲开主管或上司的门前，最后清晰、整理一下自己要办理的事、要讲的话。

8.讲完电话后记得多说一句："好，我要挂了。"

9.记住并能辨认5个星座、10种树、20种花。

10.睡不着时就起床。

11.不抱着"只要……我就能幸福"、"只要能赚到……我就能快乐"的想法。

12.遇到困难时，想想你所尊敬的人大概会怎么做。

13.遇到讨厌的人，想想自己是否有同样的毛病。

14.不要给准备要做的事寻找失败的理由。

15.把所有的困苦都看做是有意义的，是生命对你的磨练，也许，是为了让你成大事而做准备。

小气有理

黄春景

最近，看了一项有趣的调查：美国本土1000个百万富翁中，依靠继承、中彩等暴富起来的只有4位，其余的都是通过定期向银行存入现金并稳妥投资积累而成的。

百万富翁约克思说："吝惜每一美分，用好每一美分，才是财富增值的源泉。"

台湾龙头企业台塑集团，是一家大型企业，但他们的经营理念却是"小气有理"。员工的圆珠笔写不出字了，必须拿用完的旧笔芯，换一根新笔芯。还有一家商店，经营状况一直很好，其秘诀竟是关掉不必要的招牌灯。老板解释说："小气就是赚自己的钱，自己的钱都赚不回来，又怎么有能力去赚别人的钱？"

加拿大渥太华有一份报纸，叫《吝啬家月报》，专登为人们节俭过日子提供具体办法的文章。报纸很受读者欢迎，发行量不断增加。报纸的创办者名叫尼克森，他自己就是节俭专家，崇尚简约生活。

尼克森认为，简约生活也会使人愉悦。吝啬不是没有面子的事，而是一种创造。

他说："省下1元钱，从感觉上说，往往大于你赚进的1元钱。"

台湾作家王舜清在一本《小气有理就是钱》的书中，也发表了同样的看法。他认为"小气"可以致富；"小气"并不庸俗，而是一种优雅。

这样的事情在我们的生活中有很多。一提到赚钱，好多人的眼睛就向外，拼着命让别人的钱变成自己的钱。然而，在赚钱的时候，我们往往忽略了个人，低估了自己的内蕴。所以，好多人赚钱的途径显得很单一，他们只懂得一味向外挖掘和索取，却忘了赚自己的钱也是一条发财之路。当我们回过头来审视自己的时候，才发现我们自己就是一座金库。

职场寓言5则

佚 名

亮丽的羽毛

有一根非常绚丽耀眼的羽毛，生长在大鹏鸟的翅膀上。在众多羽毛中，这根羽毛十分与众不同，它每时每刻都闪闪发亮，耀眼夺目，令其他羽毛羡慕不已。它自己也常常得意洋洋，摆出一副不可一世的样子。

有一天，亮丽的羽毛意气风发地对其他羽毛说：“大鹏鸟展翅飞翔时看起来如此壮观伟岸，还不都是因为有我参与。”其他羽毛听罢都低声附和。又过了一段日子，那根漂亮的羽毛更加自以为是地对其他同伴说：“我的贡献最大了，没有我的话，大鹏鸟哪里能够一飞冲天呢！”

漂亮的羽毛整天陷在自傲自负的泥沼里，无法自拔。终于它孤傲且目中无人地对大家宣布：“我觉得大鹏鸟已经成为我人生沉重的负担，要不是大鹏鸟硕大无比的躯体重重地压着我，我一定可以自由自在地飞翔，而且会飞得更远更高。”说完，它就使出浑身解数，拼命地脱离大鹏鸟，最后它终于如愿以偿从大鹏鸟的翅膀上掉落下来，在空中没飘多久，就无声无息地落在泥泞的土地上，从此再也无法飘扬远飞了。

［管理寓语］

有些人固然拥有不错的才华，然而，却因此就自视高人一等，甚至目中无人，睥睨一切，狂妄到将所有的功劳都往自己身上揽。这种一意孤行的心态及行为，终将会自食恶果。

搬家的猫头鹰

猫头鹰急促而忙碌地在树林里飞着。一旁的斑鸠好奇地问：“老兄，你究竟在忙什么？”猫头鹰气喘吁吁地回答：“我在忙着搬家。”斑鸠疑惑不解地再问：“这树林不是你的老家吗？你干吗还要再迁移搬家呢！”此时，猫头鹰叹着气说：“在这个树林里，我实在住不下去了，这里的人都讨厌我的叫声。”

斑鸠带着同情的口气说：“你唱歌的声音实在聒噪，令人不敢恭维，尤其在晚上更是扰人清梦，所以大家都把你当做讨厌的人物。其实，你只要把声音改变一下，或者在晚上闭上嘴巴不要唱歌，在这林子里，你还是可以住下来的。如果你不改变自己的叫声或夜晚唱歌的习惯，即使搬到另外一个地方，那里的人还是照样会讨厌你的。”

［管理寓语］

人们常常抱怨，都是环境或别人对自己不好，所以就想借着换个环境，或结交新的朋友，来改变尴尬的境遇。但是人们却很少反省自己，人际关系的不顺畅或职场的不如意，究竟是自己的因素还是别人的因素所造成的。如果原因是出自本身的话，惟有改变自己一个办法才能让问题迎刃而解。否则，不断地转换工作或认识新朋友只能是对生命的浪费，对问题的解决没有丝毫裨益。

长臂猿与红毛猩猩

树林里住着两个长臂猿兄弟，他们整天在树枝间荡来晃去。嬉戏玩乐的日子固然欢乐愉快，但对于每天只能找到一点点食物果腹一事，它们一直耿耿于怀。

有一次，长臂猿兄弟闲逛到山脚下的动物园，只见其中一个笼子里关着一只红毛猩猩。在红毛猩猩面前，摆了许许多多的水果和食物，令它们垂涎欲滴。长臂猿弟弟就对哥哥说："老哥！我真羡慕那只红毛猩猩的待遇，它每天不用做任何事，就有这么多美味可口的东西可以大快朵颐，不像我们必须十分操劳，才能得到稀少的食物。"长臂猿哥哥搂着弟弟无奈地点头说："你说的对极了。"

这个时候，笼子里的红毛猩猩无精打采地抬起了头，以十分羡慕的眼光望着长臂猿兄弟，心里想着："唉！我真是羡慕那两只长臂猿兄弟，每天可以在树林里自由地荡来荡去，多么的逍遥自在啊！"

[管理寓语]

俗话说，"这山望着那山高"，"吃着碗里看着锅里"。上班族在职场上工作，刚开始的时候对公司的环境与待遇也许尚感满意，但一段时间过后，可能因为某种因素，就开始抱怨起来，总认为别的公司福利好待遇佳，于是驿动的心油然而生。然而，这一定是事情的真相吗?

偷油喝的老鼠

有3只老鼠结伴去偷油喝。可是油缸非常深，油在缸底，它们只能闻到油的香味，根本喝不到油。喝不到油的痛苦令它们十分焦急，但焦急又解决不了问题，所以它们就静下心来集思广益，终于想出了一个很棒的办法，就是一只咬着另一只的尾巴，吊下缸底去喝油。它们取得了一致的共识：大家轮流喝油，有福同享，谁都不可以存有独享的想法。

第一只老鼠最先吊下去喝油，它在缸底想："油只有这么一点点，大家轮流喝一点多不过瘾。今天算我运气好，不如自己痛快地喝个饱。"夹在中间的第二只老鼠也在想："下面的油没多少，万一让第一只老鼠喝光了，那我岂不是要喝西北风吗？我干吗这么辛苦地吊在中间让第一只老鼠独自享受一切呢！我看还是把它放了，干脆自己跳下去喝个痛快淋漓！"第三只老鼠则在上面想着："油是那么的少，等它们两个吃饱喝足，哪里还有我的份！倒不如趁这个时候把它们放了，自己跳到缸底饱喝一顿，才能一解嘴馋。"

于是，第二只老鼠狠心地放了第一只老鼠的尾巴，第三只老鼠也迅速放了第二只老鼠的尾巴。它们争先恐后地跳到缸里，浑身湿透，一副狼狈不堪的样子，加上脚滑缸深，它们再也逃不出油缸。

[管理寓语]

自私是人的天性，尤其是利益当前，有的人更克服不了这样的劣根性。此外，见不得别人好也是一般人的通病。其实"我好，你也好"的双赢精神，才能促进人际往来的顺利。别人好，自己未必就会损失利益；自己好的当下，也应该尽量想到不要给别人造成伤害。如此一来，人际关系自然通畅无阻。

蜈蚣买汽水

有一群昆虫聚集在草堆里一起聚餐联谊，它们一边兴奋地聊着天，一边开心地吃着可口美味的食物。不多久，它们就把准备的汽水喝了个精光。

在没有汽水的情况下，大家口渴难耐，所以就商量要推派一个代表跑腿帮大家买汽水，而卖汽水的地方又离这里有一段颇长的路程，小虫们认为要解决口干舌燥的急事，一定要找到一位跑得特别快的代表，才能胜任这样的任务。

大伙你一言我一语，环顾四周，挑来选去，最后一致推选蜈蚣为代表，因为它们认为蜈蚣的脚特别多，跑起路来，一定像旋风般的快。

蜈蚣在盛情难却的情况下，起身出发为大家买汽水，小虫们放心地继续嬉闹欢笑，一时忘记了口渴。过了好久，大家东张西望，焦急地想蜈蚣怎么还没回来。情急之下，螳螂自告奋勇跑去了解究竟发生了什么事。它一推开门，才发现蜈蚣还蹲在门口辛苦地穿着鞋子呢!

［管理寓语］

人不可貌相，海水不可斗量。一般人常常会根据外表来判断一个人的能力或人格，然而，实际上，看走眼的几率是相当高的。毕竟，一个人的能力或人品是无法单凭外表来评判的。此外，人们也常常产生先入为主的偏见，以为只要腿长或脚多，就一定跑得快。然而像故事中的蜈蚣一样，虽然脚多，却不见得跑得快。所以，客观地评估一个人的优缺点实在是有必要的，尤其对人事主管而言，在招聘或任用时，更应站在不偏不倚的角度，去除个人的偏见，甚至发展或建立一套客观的评估标准来选才、用才，才不会造成人力资源的虚耗或有人怀才不遇的遗憾。

用幸福衡量财富

陈春艳　马海邻

看上去很美：在差的物品上花更多的钱。对于好的东西和坏的东西，人们总是愿意为好的东西付更多的钱。可是，在现实生活中，人的决策却并不总是如此英明。

来看芝加哥大学商学院终身教授、中欧国际工商学院行为科学中心主任奚恺元教授于1998年进行的冰淇淋实验：有两杯哈根达斯冰淇淋，一杯冰淇淋A有7盎司，装在5盎司的杯子里面，看上去快要溢出来了；另一杯冰淇淋B是8盎司，但是装在了10盎司的杯子里，所以看上去还没装满。你愿意为哪一份冰淇淋付更多的钱呢？实验结果表明，在分别判断的情况下，人们反而愿意为分量少的冰淇淋付更多的钱。

这证明了人的理性是有限的。人们在做决策时，并不是去计算一个物品的真正价值，而是用某种比较容易评价的线索来判断。

赌徒永远口袋空空：钱和钱是不一样的。同样是100元，是工资挣来的，还是彩票赢来的，对于消费者来说，应该是一样的，可是事实却不然。一般来说，你会把辛辛苦苦挣来的钱存起来舍不得花，如果是一笔意外之财，可能很快就花掉了。

这证明了人的理性有限的另一个方面：钱并不具备完全的替代性，虽说同样是100元，但在消费者的脑袋里，分别为不同来路的钱建立了两个不同的账户，挣来的钱和意外之财是不一样的。这就是为什么赌徒的口袋里永远没钱的道理，输了当然没什么好的；赢了，反正是不劳而获，来得容易，谁愿意存银行啊？从积极的方面讲，不同账户这一概念可以帮助制订理财计划。由于在心理上事先把这些钱一一归入了不同的账户，一般就不会产生挪用的念头。

让人人拥有快乐，最大化人们的幸福。归根究底，人们最终追求的是生活的幸福，而不是有更多的金钱。因为，从“效用最大化”出发，对人本身最大的效用不是财富，而是幸福本身。传统经济学认为增加人们的财富是提高人们幸福水平的最有效的手段。但奚教授认为，财富仅仅是能够带来幸福的很小的因素之一，人们是否幸福，很大程度上取决于很多和绝对财富无关的因素。奚教授正在发展一种新的、严格的理论来研究如何最大化人们的幸福。这个理论提出：我们的最终目标不是最大化财富，而是最大化人们的幸福。

绝对财富的鸿沟无法填平，而幸福感却可能被每一个人所拥有。满足感和不满足感都是相对的，不可以偏概全，新经济学通过引导看事物好的一面，不把坏的一面放大，来让人们获得幸福感。

在安静中盛享人生的清凉

马　德

无欲的生命是安静的。

我见过一匹马在槽枥之间的静立，也见过一头雄狮在草原上的静卧，甚至是一只鸟，从一根斜枝扑棱棱飞到另一根斜枝上，呈现出的，都是博大的安静。

一切外在的物质形式，如槽枥之间的草料，草原之上的猎物，斜枝之外的飞虫，在安静生命的眼中，像风中的浮云。一个安静的生命舍得丢下尘世间的一切，譬如荣誉、恩宠、权势、奢靡、繁华。他们因为舍得，所以淡泊，因为淡泊，所以安静。他们无意去抵制尘世的枯燥与贫乏，只是想静享内心的蓬勃与丰富。

夏日的晚上，我曾经长久地观察过壁虎。这些小小的家伙，在捕食之前最好的隐匿，就是藏身于寂静里。墙壁是静的，昏暗的灯光是静的，扑向灯光的蛾子的飞翔是静的，壁虎蛰伏的身子也是静的，那是一幅优美素淡的夏夜图。只是壁虎四足上潜着的一点杀机，为整幅画添了一丝残忍，也添了一些心疼。也正因为这样，我没有看到过真正安静的壁虎。

安静的姿态是美的。蹲坐在云冈石窟里的慈祥的大佛，敦煌壁画里衣袂飘举的飞天，一棵虬枝盘旋的古树，两片拱土而出的新芽，庭院里晒太阳的老人，柴扉前倚门含羞的女子。这些姿态要么已看破红尘，要么是纯净无邪，恰是因为这些，它（他）们或平和、宁静、恬淡、宠辱不惊，或纯真、灵动、洁净、不沾染一尘世俗，于是便呈现给这个世界最美的姿态。

真正的安静，来自内心。一颗躁动的心，无论幽居于深山，还是隐没在古刹，都无法安静下来。正如一棵树，红尘中极细的风，物质世界极小的雨，都会引起一树枝柯的颤动、迷乱，不论这棵树是置身在庭院，还是独立于荒野。所以，你的心最好不是招摇的枝柯，而是静默的根系，深藏在地下，不为尘世的一切所蛊惑，只追求自身的简单和丰富。

有一天，我去拜会一位遭受了命运挫折的老人。他正端坐在沙发深处，没有看书，没有练书法，只是端坐在那里，甚至都感觉不到他在思考。我和先生攀谈着，一些陈年往事逐渐勾起了老人的回忆。当他谈到差一点被造反派殴打致死这一段时，语速平缓从容，脸上平静得没有一丝波澜。这种平静，不是来自岁月的老练和世故，而是来自命运磨难后的超然与豁达。下午的阳光斜照进来，地板上、四壁上，横竖都是窗框投射下的沉重的影子。空气中，一个安静生命的内核在浮沉中发出金属般的脆响。

这不由使我想起小时候，一个有月亮的晚上，父亲坐在山梁上吹笛子。一川的溪水，在月光下荡着清幽的光，远山黑黢黢的，村庄黑黢黢的，父亲的笛声婉转、旷远、悠扬，那一晚，山是安静的，水是安静的，村庄是安静的。

我想说的是，只有在自然身上，我们才能得到最厚重最原始的安静。

珍　惜

宜　晨

早上，校门两边总会站着担任值日生的四名同学。每当有老师到校，四名值日生便齐呼“老师早”。按规定，只有表现优秀的学生才能做值日生，所以，当选的值日生都备感自豪。

儿子被选上值日生的这天，红领巾、校服穿戴得整整齐齐的，连小皮鞋都擦得锃亮锃亮。送儿子到校后，看着他精神抖擞、昂首挺胸地站在校门旁，朝阳照在脸上，我也情不自禁地为他感到自豪。

可万万没想到的是，中午一回到家，儿子就大哭起来，原来是班主任取消了他的值日生资格，因为他不愿意和别的值日生一起喊“老师早”。

“刚开始我对每个老师都喊了早上好，可就是没一个老师搭理我们，他们听到了就像没听到一样。我想，连老师都这么没礼貌，我又为什么要向他们问好。呜——”

我也无言。

一天，带儿子坐公共汽车，上来一位抱小孩的妇女，满车的人都没让座，只有儿子毫不犹豫地站了起来：“阿姨，请这里坐。”

下车后，儿子问我：“爸爸，阿姨为什么不道谢？”

“可能她道谢了，你没有听到。”

“没有，她绝对没有道谢，我听得清清楚楚。”儿子斩钉截铁地说。过了一会儿，儿子仿佛若有所悟地补充道：“嗯，我知道了，怪不得车上没有人让座。”

我自然清楚儿子的结论是不正确的，但我这次真的是无法解释了。

总是听人说：拥有时不珍惜，失去了才知道它的宝贵。可我却总是眼睁睁地看着孩子身上结出的善果，就这样无情地被风吹雨打去。唉！大人们。

台湾老兵的故事

于秀

那是1949年阴历的五月初六，这个日子我一直记得很清楚。那天，为了在太阳出来之前把地里的土豆浇上水，我起了个大早。

四岁的儿子还睡在炕上，亲亲他的小脸，我接过已怀孕八个月的媳妇递过来的稀粥，匆匆忙忙一边喝着，一边叮嘱她注意身子，快要生了就不要再下地了。

可媳妇却说："没事儿，我利索着呢。"

过了一会儿，看我吃完饭，媳妇一边把草帽拿来给我戴在头上，一边说待会儿早点回来吃饭，今儿中午咱们吃高粱面条，这东西下出来不能放，时间一长就捞不起来了。

我一边答应着："知道了！"一边走出了家门，闷着头往村外的地里走去。我没想到这是我留给媳妇的最后一句话。

那一年我26岁，媳妇25岁。

正忙着干活，突然听见前边一阵骚乱，我看了看，发现是国民党在抓兵。前几天，许多人说我们这儿山里面太偏僻，那些抓兵的不会找到这里，可没想到倒让我给遇上了。

那时我是家里惟一的壮劳力，媳妇又将要生孩子，我要是走了他们怎么活下去，我不知道，可这一切已经由不得我了。

我被送到停在青岛港的军船上，没几天船就出发开往台湾。到了台湾在那里只停留了两天，我们又坐船到了海南岛。

那时国内几乎都解放了，国民党部队把海南岛当成了他们最后固守的阵地，在这里屯集了大批的人马。

可这些人里面有不少是临时被抓来的老百姓，像我这样的连枪口都不知道应该对哪儿的农民也被他们编进了正规军。

当时在海南岛，由于水土不服，吃的又供不上，许多北方兵到了这里便一病不起。部队要行军打仗，那些病号只好扔在半道上任其自生自火。

这些惨景把我也吓坏了，我想万一我死在这儿，连个收尸的也没有，更不用说给家里个信儿了，我瞅了个混乱的机会逃了出来。

可由于地形不熟，我离开了部队也不知道往哪个方向跑，东逃西逃最后还是被抓了回去。为了惩罚我，他们让我到伙房里去干杂活，这样我一路上挑着锅碗瓢盆跟着部队撤到了台湾。

那会儿的台湾是个什么都缺的孤岛，一下子去了那么多人，最吃苦的就是我们这些当兵的。更难受的是台湾的潮湿和各种流行病，我们这种人活下来也真算是死里逃生。

当了十几年兵，我真是在部队上呆够了。1965年，我说自己有病，到处查查看看的，终于被批准提前退役。

混了这么多年仅仅是个上士的我吃不到终身俸禄，又不愿意进荣民院，我成了自谋职业者，来到社会上自己找一条生存的路。

那一年我42岁。

我在家的时候就没读过书，到了台湾年纪大了更没有机会学点文化，大字不识几个，这让我在台湾的谋生成了问题。

好在我还正值壮年，别的没有力气还是有的。思来想去，还是干我种地的老本行。

我退役的时候在台东的花莲，那儿有大片的荒山野岭。我在山上搭了窝棚，一把锄头开起了荒。由于那儿的荒沙地根本种不了粮食，我只好把平整出来的几亩地全部种上了大姜。

到了收获的季节，我成筐成箩地挑到山下去卖，这样一干就是四五年，我在山上也过了几年与世隔绝的日子。

那时我什么也不敢多想，只想我的大姜收成好一些，多赚点钱让自己好好活下去。可是，就是这样简单的愿望我都实现不了。

大概是我在山上呆的第五年吧，有一天突然刮起了台风，下起了特大暴雨，这场灾难不仅把我的窝棚给掀翻了，还引起了山体滑坡，把我那几亩即将收获的大姜全部给压在了泥沙下面。那可是我惟一的收入来源啊。

我顾不得收拾人仰马翻的窝棚，雨还没停便去挖埋在泥沙下面的大姜。怕铁锹把大姜铲碎了卖不了好价钱，我就用手去挖，直挖得双手的指甲都掉了，鲜血直流，也没挖出多少完整的大姜来。想到自己无依无靠地活得这么难，我一屁股坐在烂泥地上嚎啕大哭起来。

荒山上只有我这个无家可归的老兵那凄凉的哭声。山体的塌方随时都会发生，可被雨水浇得浑身冰凉的我真的不知道自己该怎么活下去了。

那一场台风彻底毁了我几年里起早贪黑开出来的几亩地，即将收获的大姜也全部都烂在了泥沙下面。一着急，我大病了一场，在床上躺了几个月才起来。

在台东再也呆不下去了，我收拾了简单的行李，几乎是流浪般地到了基隆港。由于我不识字，好一点的工作根本找不到，我只好去港口当了出苦力的装卸工。

那时我已经47岁了，可天天还要扛上千斤的货物。在35℃的高温下，上百公斤的麻包一次要扛两个，一天干下来我已经累得路都走不动，多少次我问自己，我这样当牛做马是为了什么?

有时，在等货船靠岸的时候，我就忍不住往大海那边张望，来来往往那么多船，我多希望有一只能够给我带来家人的消息，让我知道他们都还活着，还在等着我回家的那一天。

可当时在台湾的“三不”政策下，想要知道祖国内地的消息比登天还难，而且，弄不好就会给自己惹来横祸。

年龄越来越大，我对家的思念就越来越无法遏止，我总是想我要活着回家，只有活着回家，我才能对得起家中的老人、媳妇和孩子。

那时，台湾跟大陆信都不可以通，而许多老兵已经开始托国外的朋友，辗转美国、日本等地往家里捎信儿。眼看着有些老兵知道了家里的音信，他们偷偷跑到我这儿，边抹着老泪边跟我说家里或悲或喜的信儿，我再也沉不住气了。

最终我还活着的消息在1986年辗转到我的家乡，也就是在那一年，我知道了家里的信儿。让我高兴的是，尽管我近四十年没有音信，可媳妇还在等着我，并且在我走后给我生了个女儿。这时我的一双儿女都已成人，分别嫁娶，并且有了自己的孩子。

可令我特别难过的是，父亲早已过世而我的母亲在我的信儿到家的前一天刚刚去世。她老人家临终时迟迟不肯咽气，直到我媳妇趴在她身边对她说：“娘，你就放心去吧，要是茂亭能活着回来，我一定让他先到你和爹的坟上磕头烧香告诉你。”就这样老人才算闭上了眼睛。

我戒掉了烟、酒，每积攒一分钱我都想到他们，我的老伴，我的儿女，我在积攒回家的路费，让自己不至于在可以回家的时候，为盘缠发愁。

1987年10月，在双方共同努力下，台湾当局终于通过了开放民众探亲的议案。两岸近四十年的隔绝终于被老兵们匆匆的脚步打破了。

1988年4月19日，是我这一辈子最高兴的一天。

这天早晨8点我从台湾到了香港。因为台湾与大陆不能通航，我们这些回家的老兵必须转道香港，可尽管这样，我仍是压抑不住满心的兴奋。

我在广州足足等了三天才等到回青岛的飞机票，黄昏的时候我到达青岛机场。一下飞机，连日来的劳累、奔波、心焦、悲切一下子涌上心头：“快四十年了，我终于活着回来了，我终于到家了。”我长长地出了一口气，脚一软竟一下子坐在了地上久久地不想起来。

从26岁被带到台湾，一转眼我已是65岁的老人，这近四十年的时间我都做了些什么？我不知道，我只记得为了这个魂萦梦绕的老家我不知流了多少眼泪。

就在我站在村口不知道该往哪里走的时候，两个下地回来的农村妇女迎面走来，我忙上前问路，叫着我儿子的小名，我问他家怎么走?

可谁知我问了半天，她们中的一个也端详了我半天，听我说是从台湾回来的，又姓孙，其中有个妇女扔下肩上的工具就往村里跑，一边跑还一边喊：“娘，娘，快出来看，俺爹回来了，俺爹回来了。”

她这一喊倒把我给喊愣了，我正不知道该怎么办，旁边那个妇女上前来帮我提起箱子就走，一边走还一边说：“到家了，大伯，你还站着干什么，快回家吧。刚才你问她路的那个人是你儿媳妇，这不跑着回家给她娘报信去了。”

跟在儿媳妇的后边我忘记了连日来的疲劳，所有的倦怠仿佛一扫而光，我几乎是一溜小跑，像个年轻的小伙子一样精神起来。

这时我老伴听到了喊声从院里走出来。一个白发的老太太站在那里定定地望着我，眼睛里全是很难相信这是事实的神情。

好久好久我不敢相信自己的眼睛，这个脚步蹒跚的老太太还是我走时那个俊俏、伶俐的女人吗？40年的时光真的这么可怕，将我记忆中的那个人变得面目全非。

在老伴身上惟一还让我有所记忆的便是她的那双眼睛。那是一双仍然善良、温顺、宽容的眼睛，正是这双从来没有改变的眼睛让我觉得她还是那样年轻、好看。

老伴见到我，只说了一句：“他爹，你回来怎么也不来个信，我好让孩子去接你。”就再也说不下去了，暮色中她的泪水那样苍凉，让我不由心中涌起阵阵愧疚。

我上前挽起老伴的手。“老伴啊，别再哭了，这些年你和孩子受苦了，这不，再难我也回来了，从今以后咱再也不哭了，咱回到家了。”

老伴擦干了眼泪，我却再也忍不住了，我知道从此以后我再也不用夜夜梦归不得归，我回来了，就让眼泪流个够吧。我拉着老伴的手往家里走去，一声声哽咽着像个孩子。

接下来的日子，我忙得再也顾不得哭。

先是出嫁的女儿带着外孙来看我。从来没见过我的女儿，一见面便趴在我的肩上哭，让我心里酸酸的。

儿子和儿媳拉着孙子给我磕头。40年前我走时才4岁的儿子长成了一个憨实的庄稼汉，有了自己的儿子。我这一家人没有散多亏我那劳苦功高的老伴。

可这么多年她受的苦，她从来不讲给我听。好多次我让她讲讲这些年是怎么过来的，可她总是说："该吃的苦都吃过了，如今你回来了，咱们一家人总算等到了团圆，还提过去那些事情干什么。"

很快，我探亲的时间就到了。虽说跟老伴和儿女们还没有亲热够，可时间到了我必须往回走，否则再想回来就难了。

离开村子那天，我心里空落落的，老伴一人早起来给我做好了饭，就坐在院子里一个人掉泪。我跟老伴说，我这次回去还可以马上再回来，你不要太难过了。

可老伴说："你上一次走的时候，也没说不回来，结果你就硬是40年后才回来，咱这个家还有多少个40年可以熬啊。"

我知道老伴是被我的离开弄怕了，她怕我一离开家门就又是个杳无音信，不知道归期。都这样一把年纪了，我也实在是觉得该把剩余的时间都用来陪陪老伴了。

回到台湾不久，我就开始申请回大陆定居，可由于各种原因，一直到1994年我才办好了回祖国内地定居的手续。

这之前为了给家里多赚点钱，70岁的我又到桃园机场打了两年工，直到实在干不动了我才正式辞工。

1995年，我再一次回到家乡。

这一次我已经办好了定居的手续，再也不用离开了。这是我与老伴和儿女的真正的骨肉团聚。可我和老伴也真的步入了古稀之年。

那一年我72岁，老伴71岁。

现在我的曾孙也出世了，我们这个大家庭经历了几十年的坎坷磨难，最终还能团聚在一起，我的心里感到一种幸运。在老兵当中，有多少人从此一去不归啊！

想到我这个从来没有为家庭负过任何责任的老兵，也能熬得四世同堂，我就从心里感激老伴，要不是她把这些苦难都承受了下来，今天我恐怕真的已是无家可归的老兵。

好多时候，我坐在自家的院子里，望着眼前郁郁葱葱的兰山，我就想那些因为各种原因至今没有走上回家的路的老兵，他们当中有许多已是高龄，有许多将不久于人世。要是祖国实现了统一，他们说什么也有机会回家看看。

那时候台湾海峡将不再是高墙，而是一个绿色通道。两岸的民众可以相互到自己生活的地方去看看、走走，像到自己的家一样，这才是一家人，这才是一个统一的民族。

作为一位台湾归来的老兵，我最盼望的就是这一天了。

迟到的悔恨

肖复兴

人的一辈子，总有刻骨铭心的悔恨，蛇一样藏在记忆的深处，不时地钻出来噬咬着自己的良心。尤其是我们老三届这一代，经历“文化大革命”时正值年轻，又自以为是在投身一场轰轰烈烈的大革命，谁没干过一两件错事令日后悔恨不已呢？只不过这样的事，当时觉得正义凛然或辉煌无比，一团烈焰浓雾遮住了本来的面目，只有回过头来看才会看得清楚一些。

1966年的“红八月”，那时叶珉在北京一所中专上学。5月份刚刚入团，一腔革命的豪情喷薄欲出，却苦于英雄无用武之地。因为父亲是资本家，她参加不了红卫兵和红卫兵在“红八月”的荡涤一切“污泥浊水”的演出，包括大串连。这一天，班里红卫兵的头、她的入团介绍人小汪，一身绿军装，系着武装带，威武雄壮地找到她：“今天我们到你家抄家！”她一听非常激动，想到是革命对自己的信任，是给了她在革命的大时代施展身手的机会，她立刻脱口而出：“我坚决同意！”小汪说：“你刚入团，这是对你的考验。”她激动地说：“我一定接受组织的考验。”小汪手一挥：“马上去！”她说着那个时代的豪言壮语，随同一群红卫兵一起去了自己的家。

她的家是一个小院，除了父母，爷爷奶奶和叔叔都住在这个小院里。其实，当时她并不清楚她的父亲只是开过一家小煤球厂的小资本家，她对资本家的印象都是从电影里来的，都是灯红酒绿、醉生梦死、敲诈剥削别人。闯进小院，一股革命之情油然而生，但是一下子真的面对着父母和爷爷奶奶，她手足无措。小汪将腰间的武装带解下来递给她，她想爷爷奶奶这么大岁数了，妈妈有病，打轻了会说自己立场不坚定，打重了怎么下得了手，还不能犹豫得时间过长……她永远无法忘记这个场面，一瞬间要她的脑子里风车般旋转，迅速地考虑到这么多，而且要她果断地选择好下手的对象。她叫了一声：“你要老实交代！”狠心甩了一下武装带朝父亲打去，闪着光亮的金属皮带环打在父亲的头上，血立刻流了出来。父亲显然没有料到，呆呆望着她，一片茫然。

从那天起，叶珉没有回家。这一皮带打下去，打得她自己的心头也在流血。起初，她恨父亲给自己留下这个倒霉的出身，但觉得不该打父亲。后来听说父母和爷爷奶奶都要被赶回老家，叔叔骂都是父亲指使她才抄家的，父亲默默替自己承担了责任。她的心里一下子一池春水吹皱，乱得不成样子。起初，她不想回家，后来，她不敢回家。她知道自己就像电影《早春二月》里的肖涧秋，选择的是离开芙蓉镇一样的逃避道路。就在父母尚未回老家的时候，她分配到四川甘孜林区，她硬着头皮忐忑地回家一趟。她不知道该如何面对父亲，父亲又该如何对待她。没有想到父亲什么话也没有说，只是在她临走的时候默默地帮她捆行李，她的眼泪差点掉下来，强忍着，生怕自己的立场不够坚定。她才发现自己的革命竟也有如此甩不掉的儿女情长。只是临离开家了，她也没有叫一声爸爸，她将沉重的背影留在父亲慈爱的目光中。

她再回家的时候，是在几年后的1971年。在和林区伐木工人生活在一起的日子里，她似乎才长大了一点。林区生活艰苦，那些朴实的伐木工人一个星期才能买到一次肉，好多人舍不得吃，她不知道他们攒着肉到底有什么用，一直到有一天一个工人在父亲的生日时给家里寄这些积攒下来的风干的肉，她才忽然被感动而明白了一些道理，禁不住想起自己的父亲。那一夜，她没有睡着觉。

那是她第一次从四川回家，离开家的时候是她一个人，回来是三个人——她结婚并有了第一个小孩。父亲见到她，想打招呼又不敢，她知道父亲是在犹豫，几年过去了，不知道自己对他的态度到底是什么样。她轻轻叫了一声："爸爸。"没想到父亲那样激动，立刻抱起小孩，自己像个小孩一样兴奋。那一刻，她的眼前浮动的是她挥动皮带打在父亲头上的情景，那情景几年来一直顽固地定格在自己的头脑里，而父亲竟这样轻易地就原谅了自己。她差点没掉下眼泪。她才明白马克思说的：年轻人犯错误，上帝也会原谅。这个上帝只是自己的父母。

她生第二个孩子的时候大出血，父亲似乎有预感似的，给她来了一封信，说家里的石榴树每年都开花，只有今年有一枝枯萎了，担心你别是出了什么事。当父亲知道她的情况，要她一定把孩子送回家里来。从此便一直是父亲和母亲把一个小猫似的孩子养大。而那年她回到家，叔叔想起因当年抄家受的罪扬言要揍她的时候，还是父亲拦住了叔叔："那时她还是个孩子，你要打就打我吧！"想起这一切，自己挥动皮带打在父亲头上的情景便总在眼前晃动，便像刀子剜心般疼痛。她希望有一天能够面对父亲做一次认真的忏悔，可是，见了面总有些不好意思，便使劲给父亲买东西，买父亲最爱吃的香蕉，为父亲洗衣服洗脚。给父亲洗脚是父亲也是她最高兴的事，父亲的岁数大了，行动不便，能有女儿尤其是她蹲下来为自己洗脚，让老人充满感慨而无可言说。蹲在洗脚盆前，看着父亲高兴的样子，她在心里一次次说以后吧，以后找个合适的机会，好好向父亲忏悔。

时间就这样流逝，她哪里想到竟然一下子没有了机会。父亲突然间病倒，她赶到医院时，只能看见昏迷中的父亲苍老的脸，她摸着父亲那枯瘦如柴的手和脚，无限的悔恨涌上心头。她觉得这是老天对她的惩罚，连让自己面对父亲忏悔的一次机会都不给她……那时，她想对父亲说的话有许多，父亲却一句也听不见了。

但即使是迟到的悔恨，也还是要说给父亲听。她将心里要说的一切都写了下来，装进一个信封里。在父亲的葬礼上，她默默地将信读给了父亲，将信烧掉，然后"扑通"跪在了父亲的骨灰盒前。

她对我说："一个人应该在自己的良心面前跪下。"

两个永恒的孩子

晨枫

1996年，有两位父亲，一位在中国，一位在法国；一位是哲学家，一位是文学批评家，几乎同时完成了被病魔夺去生命的爱女的传记。一位是妞妞的父亲周国平，写下了《妞妞：一个父亲的札记》；一位是波丽娜的父亲菲利普·福莱斯特，写下了《永恒的孩子》。两位不曾相识，操着不同语言，接受了不同文明却有着共同遭遇的父亲为我们揭示了共同的人性。两本书充满诗意和睿智，分别在两个社会制度、文化背景不同的国度里畅销，感动了成千上万的读者。

我迟迟没有敢碰这两本书，因为里面躺着两个美丽而脆弱的生命：波丽娜的一生十分短暂，只有两年半；妞妞的一生更是昙花一现，只有一年半。喜剧大师卓别林说，最快乐的事莫过于看着一个步履蹒跚的小女孩玩耍；那么最痛苦的事也莫过于无助地看着这小女孩被病魔吞噬。

这个世界上跌宕起伏的人生悲剧还不够多吗？为什么还把目光停留在两个从这个

世界上一闪而过的小生命身上？为什么还不回避这最痛苦的瞬间？“如果有人问，这本书对世界有什么意义？我无言以对。在这个喧闹的时代，一个小生命的生和死，一个小家庭的喜与悲，能有什么意义呢？这本书是不问有什么意义的产物，它是给不问有什么意义的读者看的。”妞妞的父亲如是说。可是人生的意义往往就在人们无心顾及的瞬间。

两本书的主人公生来就是身患绝症的小姑娘，情节是父母们同病魔争夺女儿的日日夜夜，主题是小生命在病痛中偷来的快乐和使一切都显得微不足道的父爱，我读到的却是生命和永恒。

波丽娜的父亲：

“我把我的女儿变成了一纸存在。每到晚上，我便把我的办公室变成笔墨剧场，那里继续上演着我想象中的关于她的故事。我画上了句号。我把书收拾好。话语再帮不了什么忙了。我做着这个梦：早上醒来，她快乐地叫我。我上楼到她的房间去。我托起她那轻飘飘的身体，我们又一次走上笔直的红色木楼梯，走向生活。”

妞妞的父亲：

“疼痛突然消失了，你的身子变得出奇的轻盈。你发现你坐在爸爸的手臂上，面朝无碍的空间。爸爸像往常一样抱着你跳舞，但比任何时候跳得都出色。往常，爸爸也能挥动手臂把你送到半空，停留片刻，你便咯咯大笑。现在，爸爸的手臂像一对翅膀，载着你盘旋飞翔，愈飞愈高。这是你从未有过的感觉，你不明白是怎么回事，只觉得非常舒服。”

尚不知道为生命之短暂而悲哀的孩子，只要疼痛片刻减缓便会绽出笑容，便会玩耍。而父母却无时不意识到她们的生命瞬间即逝，用心录下了她们每一分疼痛，每一分欢乐。当他们得知孩子患了绝症，恐怕都会有妞妞父亲的感受：“昨天她的啼哭也是欢乐，今天她的笑容也是哀痛。”孩子的每一声呻吟都让父母们心恸，每一次治疗都伴随着父母们无奈的抗争和虚幻的期待。他们每时每刻在知其不可为而为之：手术、化疗、气功、中药……他们每时每刻被迫做着最残酷的抉择：是让这小生命痛苦地多活几天，还是让她早些安息？望着女儿一次又一次地被推进手术室，谁都会像妞妞的父亲一样向天发问："既然难逃一死，何必再让她在死前遭受这番痛苦呢？"

父亲们写下的却不是满纸眼泪，而是战胜痛苦的勇气和对生命的礼赞。妞妞的父亲发出感叹："一个残疾的生命仍然可以如许美丽，如许丰盈。"波丽娜的父亲惊异地看到："疼痛，没有让她萎缩，没有使她退却，却使她开得像朵柔美而娇弱的花。"爱的力量仿佛赋予他们另一种思维方式，帮助他们从莫大的痛苦中得到一丝慰藉。妞妞的父亲研究哲学，却被爱女带入诗的意境："你在我身上唤醒的海洋一般深广的父爱将永远存在，被寂寞的天空所笼罩，轰响着永无休止的呼唤你的涛音。"波丽娜的父亲研究文学，却面对爱女进行哲人的反思："我来自我的父母，也来自我的女儿，通过她我才知道我生命的意义，在这场温柔的噩梦中，一切都复活了。"

写作不过是一剂止痛针，不过是父亲心中的祭坛。父亲最终无法逃避残酷的现实。波丽娜的父亲知道："写作是一场嘲弄。我们想因此不被封闭在脚下裂开的沟壑里……"妞妞的父亲又何尝不明白："文字也只是自欺欺人，象征的复活和一切复活一样是虚假的。可是除此之外，我还有什么办法安慰自己呢？"

然而，人内心承受巨大痛苦时还能幻想，便有从痛苦中挣扎出来的希望。

多少个黑夜，波丽娜的父亲给女儿讲述拉封丹寓言，一首接一首地背诵兰波、雨果、波德莱尔的诗，希望诗歌那美妙的韵律和节拍能使小姑娘忘记疼痛，进入梦乡。

一只小鸟在歌唱，那声音如此清亮，它大概在很近的地方，就站在旁边的小咖啡馆那里，在这哨音的呼唤里有某种神奇的东西。

——你听见了吗，爸爸?

——我听见了。

多少次，妞妞的父亲把失明的女儿抱到窗前，努力把一线光明带给双目失明的女儿，渴望她进入梦境：妞妞醒来了，揉一揉眼睛，发现自己坐在一望无际的绿色草地上，草地真美，鲜花盛开，天空如蓝宝石闪烁，天地间布满奇异的光亮。妞妞望着眼前的情景，甜甜地笑了。

任何话语、任何想象都不能起死回生。然而两个小生命却因为她们的父亲的话语在东西方两个世界里撒下两片芳香，化做两首小诗。

五、随感杂评

行走与驻足

马 德

我很喜欢这样一句话：当一个人意识到一颗钻石比一颗玻璃球贵重的时候，这个人已经可悲地长大了。

大人与孩子的最大区别恐怕就在于此吧。学会用金钱去衡量事物的那一天，内心圣洁的纯真就没了；学会用利益来权衡人际关系的那一刻，无邪的稚趣也不复存在；纯真和稚趣都没了的时候，一个人就可怕地长大了。

童年，是一个人最美的梦境。而长大，是人生对这个梦境最冷酷的摧残。

为雨后一汪清水驻足的人，为风中落花飘零而伤心的人，赶早去看雾岚的人，趁黄昏赏飞霞的人，这样的人有诗情。

有诗情的女子一般很悲剧，因为她太向往美好的东西。有诗情的女子如果再有才情，就是最好的诗人和散文家，但依旧摆脱不了悲剧。

这一点，男人却不一样。男人有点才情就有了匠心，如果再有了诗情，就脱胎换骨成了艺术家。男人诗情再浓也不会有人生的悲剧，只会使自己的艺术走向癫狂。

举一瓢浊水，给了即将干枯的小树，是善事；泼向别人，是恶事。

这都是举手之劳的事情。实际上，人生原本没有多少大事，平庸的人把小事一直当小事做下去，就让自己的一辈子湮没在了小事之中。

能把小事做成大事的人，除了要有智慧、耐力和韧性，重要的，还要有机遇。

人生最惬意的活法，是冬日的早上，窝在被窝里睡懒觉。

窝，是依恋的姿势；被窝，是温暖的地方；懒觉，恰又是自己所渴望的。睡着也好，没睡着也罢，懒懒地窝在那里，即使干躺着，也是好的。

这个世界上，没有恒久的幸福，只有瞬间的惬意与安适。

校园的花园里，种了不少的树。

两年的样子，好多的树长得已经足够粗壮了，只有一排树，稀稀拉拉的，异常干枯瘦小。一样的阳光，一样的水土，甚至风，甚至呵护，都是一样的，为何它们偏偏长成这样的情形呢?

一打听，这种树的名字叫银杏。

珍贵的东西不会说话，但它却高贵地珍贵着。

丰子恺有一篇妙趣横生的文章，叫《口中剿匪记》，说自己口中所剩的十七颗牙齿，是一群匪徒，需要把它们剿尽、肃清，口中方能太平。

实际上，有一大群大大小小的匪类盘桓在我们左右，譬如，懒惰是个惯匪，自私是个劫匪，自满是个楚楚动人的女匪，灰心是个恶匪……人生就是一场与匪类旷日持久的战争，不要指望能够完胜，两败俱伤的时候，我们就已经胜了。

泥泞留痕

菊　上

鉴真大师在剃度一年多以后，寺里的住持还是让他做行脚僧，每天风里来雨里去，辛辛苦苦地外出化缘。要知道，这几乎是寺里人都不愿意干的最苦最累的苦差事。

有一天，日已三竿了，鉴真依旧大睡不起。住持很奇怪，推开鉴真的房门，见鉴真依旧不醒，床边堆了一大堆破破烂烂的鞋。住持叫醒鉴真问："你今天不外出化缘，堆这么一堆破鞋干什么？"

鉴真懒洋洋地打了个哈欠，愤愤不平地说："别人一年连一双鞋子都穿不坏，我刚剃度一年多，就穿烂了这么多鞋子。"

住持一听就明白了他的弦外之音，微微一笑说："昨天夜里落了一场透雨，你随我到寺前的路上看看吧。"

寺前的路是一块黄土坡地，由于刚下过一场透雨，路面泥泞不堪。住持拍着鉴真的肩膀问：“你是愿意做个天天撞钟混日子的和尚，还是愿意做个能光大佛法的名僧？”“我当然想做个名僧了。”

住持捋着胡须接着说：“你昨天是否在这条路上走过？”

鉴真回答：“当然。”住持接着又问：“你能找到自己的脚印吗？”

鉴真十分不解地说：“昨天这路上又干又硬，哪能找到自己的脚印？”

住持没有再说话，迈步走进了泥泞里。走了十几步后，住持停下了脚步说：“今天我在这路上走一趟，你是否能找到我的脚印了呢？”

鉴真答道：“那当然能了。”

住持听后拍拍鉴真的肩膀说：“泥泞的路上才能留下脚印，世上芸芸众生莫不如此啊！那些一生不经历风风雨雨，碌碌无为的人，就像一双脚踩在又干又硬的路上，什么足迹也没有留下。”

鉴真顿时恍然大悟：泥泞留痕。

生命列车

佚　名

生活犹如乘火车旅行，旅途中人们上上下下。在旅途中，不时有意外出现——有时会使人们感到意外的惊喜，有时则给人们带来深深的悲哀。

来到人间，我们登上生命列车，与一些人结伴而行。

原以为父母会永远陪伴着我们，遗憾的是，事实并非如此。他们在中途的某个车站下车，使我们成为失去其无法替代的爱抚与陪伴的孤儿。

然而，还会有一些在我们的一生中占据非常特殊地位的人上来。我们的兄弟姐妹、亲朋好友和亲密爱人会登上列车。乘坐列车的人中，有些仅仅在车上作短暂的停留，有些在旅途中遭遇的只是悲伤，而还有些人则永远准备为需要的人提供帮助。

很多人在下车时会给我们留下永久的怀念，有的则悄然离去，以至于我们都没觉察到他是何时离开座位的。

当发现非常亲密的人竟然坐在另外的车厢时，我们会感到极其惊讶。我们被迫与他们分开。当然，这并不能阻碍我们在旅途中艰难地穿过我们的车厢与他们会合……但遗憾的是，我们不能坐在他们的旁边，因为其他人已占据了座位。

尽管旅途中充满挑战、梦想、幻觉、等待和别离，但我们决不回头。

让我们尽可能使旅行变得美好，设法同所有旅客建立良好关系，努力发现每个人的优点。

我们经常会回忆起旅途中的某个时刻，和我们结伴而行的人可能会徘徊不定，而我们很可能必须要理解他们，因为我们常会犹豫不决和需要别人的理解。

最后，巨大的秘密是我们永远不知道在哪一站下车，更不清楚我们的伙伴——即使他们是此刻坐在我们身边的人——在哪儿离去。

我陷入沉思，当我下车离开时是否会抱有怀恋之情。

我想会的。与旅途中结识的一些朋友别离将是很痛苦的，但是回想一下旅途的经历，我们会感到欣慰：想到在某个时刻列车到达主要车站，伙伴们陆续上车，当时的我们是多么激动；想到我们曾经帮助他们并使其旅途变得更加愉快，我们会由衷地感到幸福。

我们应使这次很有意义的旅行变得平静安稳。这样做是为了当到了该我们下车的时候，我们的位置空了出来，但仍能给继续乘车旅行的人留下美好的回忆。

分鱼问题

庄朝晖

在小的时候，看过很多连环画，其中很多古代笑话给我留下了深刻的印象。其中有一则是这样的：

有几个朋友凑成一桌饭局，酒酣耳热之际，席间上来了一条鱼。诸位朋友正在互相谦让，一阵妖风吹来，灯灭了。在一片沉寂之中，突然听得数声惨叫。（各位看官，你道是为何？）伙计赶紧点亮了灯，只见鱼肉上重叠着无数只大手，最上面有只刀叉直没至柄。

由此笑话，我们可以继续引申。

第一次分鱼比赛，整条鱼由有刀叉的人赢得。

到了第二次聚会，大家都学聪明了，每个人都带了一把刀叉。谁知到了分鱼的时候，有两个朋友亮出了剑。大家没有办法，忍着肚子饿，把整条鱼让给了这两位带剑者。于是，两位带剑者南北拆账，一人一半。

第三次聚会，大家又学聪明了，每个人带了一把剑。又谁知到了分鱼的时候，有三个朋友拿出了枪。这三位带枪者又想独自分掉鱼，这时大家实在饿得受不了了，于是有人站出来，号召道：“虽然你们有枪，但是一次只能打死一个。我们人多，打下去肯定是两败俱伤。我们实在饿得不行了，饿死还不如战死。”这三位带枪者为他的气势所慑，只好妥协：“既如此，我们三人分掉一半，剩下的你们平分吧。”

到了第四次聚会，大家都学精了。分鱼的时候，每个人都端出了大炮，于是大家只好把鱼给平分了。

这时有个朋友想起，在遥远的过去，大家也是平分着吃。为何现在拿了这么多武器，最终却还是平分着吃?

车窗外

周国平

小时候喜欢乘车，尤其是火车，占据一个靠窗的位置，扒在窗户旁看窗外的风景。这爱好至今未变。

列车飞驰，窗外无物长驻，风景永远新鲜。

其实，窗外掠过什么风景，这并不重要，我喜欢的是那种流动的感觉。景物是流动的，思绪也是流动的，两者融为一体，仿佛置身于流畅的梦境。当我望着窗外掠过的景物出神时，我的心灵的窗户也洞开了。许多似乎早已遗忘的往事，得而复失的感受，无暇顾及的思想，这时都不招自来，如同窗外的景物一样在心灵的窗户前掠过。于是我发现，平时我忙于种种所谓必要的工作，使得我的心灵的窗户有太多的时间是关闭着的，我的心灵的世界里还有太多的风景未被鉴赏。而此刻，这些平时遭到忽略的心灵景观在打开了的窗户前源源不断地闪现了。

所以，我从来不觉得长途旅行无聊，或者毋宁说，我有点喜欢这一种无聊。在长途车上，我不感到必须有一个伴陪我闲聊，或者必须有一种娱乐让我消遣。我甚至舍不得把时间花在读一本好书上，因为书什么时候都能读，白日梦却不是想做就能做的。

就因为贪图车窗前的这一份享受，凡出门旅行，我宁愿坐火车，不愿乘飞机。飞机太快地把我送到了目的地，使我来不及寂寞，因而来不及触发那种出神遐想的心境，我会因此感到像是未曾旅行一样。航行江海，我也宁愿搭乘普通轮船，久久站在甲板上，看波涛万古流涌，而不喜欢坐封闭的豪华快艇。有一回，从上海到南通，我不幸误乘这种快艇，当别人心满意足地靠在舒适的软椅上看录像时，我痛苦地盯着舱壁上那一个个窄小的密封窗口，真觉得自己仿佛遭到了囚禁。

我明白，这些仅是我的个人癖性，或许还是过了时的癖性。现代人出门旅行讲究效率和舒适，最好能快速到把旅程缩减为零，舒适到如同住在自己家里。令我不解的是，既然如此，又何必出门旅行呢？如果把人生比做长途旅行，那么，现代人搭乘的这趟列车就好像是由工作车厢和娱乐车厢组成的，而他们的惯常生活方式就是在工作车厢里拼命干活和挣钱，然后又在娱乐车厢里拼命享受和把钱花掉，如此交替往复，再没有工夫和心思看一眼车窗外的风景了。

光阴蹉跎，世界喧嚣，我自己要警惕，在人生旅途上保持一份童趣和闲心是不容易的。如果哪一天我只是埋头于人生中的种种事务，不再有兴致扒在车窗旁看沿途的风光，倾听内心的音乐，那样便辜负了人生这一趟美好的旅行。

沉　默

赵丽宏

无声即沉默。沉默有各式各样——

腹中空泛，思想一片苍白，故而无言可发，这是沉默。

热情已如柴薪尽燃，故而冷漠处世，无喜无悲，无忧无愤，对人世的一切都失去兴趣和欲望，这也是沉默。

有过爱，有过恨，有过迷茫，有过颖悟，有过一呼百应的呐喊，有过得不到回报的呼唤，然而却守口如瓶，只是平静地冷眼察看世界，这是沉默。

饱经忧患，阅尽人世百态，胸有千山万壑的屐痕，江河湖海的涛声，然而却深思不语，这也是沉默。

一把价值连城的意大利小提琴，一枝被随手削出的芦笛，不去触动它们，便都是沉默，但沉默的内涵却并不一样。即便永远不再有人去触动它们，你依然可以凭想象听见它们可能发出的绝然不同的鸣响。

一块莹洁无瑕的美玉，和一块粗糙朴实的土砖，放在那里也都是沉默。然而谁能把它们所代表的内容划一个等号呢?

忽然想到

刘荣升

人要心地坦然。一坦然便乐观，乐观主义者，“心地上无风涛，随在皆青山绿树；性天中有化育，触处都鱼跃鸢飞”。此境界须经磨炼化砺中来。石本有棱，亿万年碰撞磨洗，即成圆卵；心本存火气，连番摸爬滚打，几番撞墙碰壁，便悟出人生之真谛。“人情阅尽秋云厚，世事经多蜀道平。”此言甚妙。

先哲主张“无我”，那是针对尘世人们“太有我”而说的。人们看“我”太认真，所以有种种烦恼。烦恼来自名利之累。一概不承认、否认名利也不成。古人说：“不复知有我，安知物为贵？”“知身不是我，烦恼更何侵？”话虽好，可是没人做得到。符合实际的做法是：给自己合理定位，把自己牢牢镶嵌在各种规矩的坐标中，不生过分的欲望，不生无谓的烦恼，不把“我”看得很大，足矣。

坏情绪与好东西

夏绿蒂

这个城市专门生产坏情绪跟好东西。我有一个温度计，专门测量它们，我并没有特别喜欢它们或讨厌它们，因为不管好坏，它们都是我的生活。

住在一个城市里，坏情绪是常态，可以解救坏情绪的东西就叫好东西。坏情绪让人警觉原来我们还活着，并且活得那么糟；好东西则让我们的坏情绪找到奇异的出口，得到一种短暂的安抚。于是，上班迟到是坏情绪，失恋是坏情绪，寂寞是坏情绪，大白天里得罪人是坏情绪，坐到一辆司机脾气暴躁的计程车是坏情绪，听到别人在背后对你的流言是坏情绪，不知道未来在哪里是坏情绪，年纪愈来愈大是坏情绪……于是，一场必要的电影是好东西，一根让你思绪逃离现场的烟是好东西，一杯足以制造思想幻觉的咖啡是好东西，花半个月的薪水买一双派不上用场的高跟鞋是好东西，一个可以抱着电话、互吐苦水的姐妹是好东西，一本让你大脑开始呼吸的书是好东西，追随一个大家一起疯狂的流行现象是好东西，一出编造幸福的偶像剧是好东西，一趟刷爆信用卡的旅行是好东西……

住在一个城市里，好东西是你索求的服务，坏情绪是你意外的账单。我们的体温随着这两者起起落落、加加减减，勾勒出各自生活的感受与样貌。最热与最冷、理想与现实、寂寞与热情、绚烂与冷清，除了自己，没有人知道，我们惟一得知道的是我们住在一个歇斯底里的城市里，我们得训练自己随时随地深呼吸。

说真的，我喜欢我的坏情绪，它像是我豢养的私人宠物，虽然坏，但它跟我最亲密。我也喜欢这城市里的好东西，它们虽然浪费，但我着迷于那种被惯坏的感觉。最重要的它们都很真实，比任何人都可爱，让人不会窒息。

回忆是……

星有灵犀

回忆是倒后镜里的公路。

坐在驾驶室里，全神贯注地看着前方，不时瞥一下倒后镜，从倒后镜里，可以看到我们走过的路。坐在人生的驾驶室里，全神贯注地望着未来，不时瞥一下过去，从过去中，可以看到我们走过的人生。

倒后镜是重要的，没有了它的驾驶过程让人心慌；过去也是重要的，没有了它的人生让人空洞。

但是，如果只看着倒后镜，不看前方，更让人心慌。来自前面的冲撞，比来自后面的冲撞要猛烈得多，也常见得多。如果只看过去，不看未来，更让人空洞。未来的障碍比过去的障碍更真实，更值得提防。只看着倒后镜驾驶，铁定会出车祸；只看着过去生活，一定会把人逼疯。

回忆是倒后镜里的公路，真真实实，却在一步一步离我们远去。前面的路还长，人生还有希望。

回忆？还是偶尔看看，从中吸取一下经验算了。毕竟，我们不能活在回忆中，正如我们不能只看着倒后镜驾驶。

今天就是礼物

Alex

有一对兄弟，他们的家住在80层楼上。有一天他们出去爬山，回家的时候，却发现大楼停电了！虽然他们背着一大包的行李，但看来没什么选择，于是哥哥对弟弟说："我们爬楼梯上去吧！"

于是，他们就背着一大包行李开始往上爬。到了20楼的时候，他们开始累了！

哥哥说："包包太重了！这样吧，我们把它放在这里，等电来了再坐电梯下来拿。"于是他们就把包包放在20楼，继续往上爬。卸下了沉重的包袱，轻松多了！

他们一路有说有笑地往上爬。但好景不长，到了40楼，两人实在累了，想到还只爬了一半，两人便开始互相抱怨，指责对方不注意停电公告，才会落得如此下场。他们边吵边爬，就这样一路到了60楼。

到了60楼，也许是累得连吵架的力气都没有了，哥哥对弟弟说："不要吵了，爬完它吧！"终于，80楼到了！到了家门口，哥俩才发现他们把钥匙留在20楼的包包里了……

有人说，这个故事其实在反映我们的人生。

20岁之前，我们活在家人、老师的期望和期许之下，背负着很多的压力、包袱，自己也不够成熟有能力，因此步履难免不稳。

20岁之后，离开了众人的压力，卸下包袱，开始全力追求自己的梦想，就这样过了愉快的20年。

可是到了40岁，发现青春已逝，不免有许多的遗憾追悔，于是开始遗憾这个、惋惜那个、抱怨这个、痛恨那个……就这样在抱怨遗憾中度过了20年。

到了60岁，发现人生已所剩不多，于是告诉自己，不要再抱怨了，就珍惜剩下的日子吧！于是默默地走完自己的余年。到了生命的尽头，才想起自己好像有什么事还没完成……原来，我们的梦想还留在20岁，还没有来得及完成……

想想自己的梦想是什么？最在意的是什么？不要到了40年后才来追悔。想一想希望将来的自己和现在有何不同，就去做吧！把握现在，记住，今天就是礼物。

烂铁与珠宝

尤　今

一对年过六旬的夫妇，在退休后，为了屋子问题产生歧见而大吵特吵。

妻子要大事装修年代湮远的老屋，而丈夫执意不肯。丈夫意兴阑珊地说："我们已年过半百了，大兴土木，劳民伤财，最多也只能住上那么区区一二十年，何苦呢？"

妻子意气高扬地反驳："正因为我们只剩下那么区区一二十年，我要把屋子弄得漂漂亮亮的，让每一个日子都过得舒舒服服！"

他们的对话不期而然地使我想起了曾在《读者文摘》上读及的两句话："悲观者提醒我们百合花属于洋葱科，乐观者则认为洋葱属于百合科。"

当你"自我践踏"地把日子看成是破铜烂铁时，你的日子，也将是锈迹斑斑，残残缺缺的；但是，当你"珍而重之"地把岁月视为金银珠宝时，那么，你所拥有的每个日子，都是晶光灿烂的、圆圆满满的。

像上述那对夫妇，对于人生，便有着截然不同的看法。丈夫将晚年看成是残余的岁月，随便凑合着过，没有目标，没有憧憬，有的，只是消极地等待——等那个永远的约会悄悄来临。然而，妻子呢，却把黄昏岁月看作是人生另一阶段的开始，她要充分地利用、尽情地享受；可以预见的是：她的日子，将是熠熠生辉的——夕阳无限好，黄昏又何妨。

实际上，我们内在的思维，往往能够左右我们的实际生活。

旅行的动机

孙福熙

狮有四条腿，攀到岩石的顶上，伸头出树梢，探望群兽的踪迹；有时跳到深谷中，痛饮瀑布根处清凉的泉水。鹤有两条腿，涉过沙滩浮在波涛中洗澡；又有两只翼，飞上云霄长啸震天地。就是被驯养的鸡鸭，牢笼了一晚，在早上被放出来时，还知记念它们已失的本能，提起两足，鼓动两翼，飞上石级或篱笆。生在水中的鱼，也长着鳍，龙门之水往下流，它却逆水向上游；它们渡过太平洋，从亚洲游到美洲，又渡过大西洋，从美洲游到欧洲。萤是小虫了，然而也知道时间可惜，携灯夜游。就是些小的蜉蝣，也知利用顷刻即逝的生命，作几度岸边与水面间的飞舞。我的肢体之不如虫鱼鸟兽，这不是我个人的过失；我的身体之渐趋于懈怠，实在是我的大耻辱！

凡是船，不论有无惊涛怒浪，都要开出去；倘若它想安静些，怕颠覆，或怕打动如镜的水面，水便要迫它生绿苔，如人之被迫于年龄而生胡髭。世间没有所谓安静的存在，即使你宣告你是睡眠了，你也会遇见梦的惊扰；即使你宣告你是死亡了，你也会遇见豺狼蝇虻。你怕走在车前，被马车追逐；但当走在它的后面时，你就一口一口地吃它簸扬起来的尘沙……倘若是一支箭，虽然没有人放它在弓弦上，也该出发去找它的靶子。倘若是一叶风筝，没有飞起来，哪里能够知道风的东或西。我跳起来，虽然我的四肢无力；我飞起来，虽然我没有翼；我该去认识我所不认识的事物！

玫瑰从来不慌张

来　去

看过一篇小品文——《像子弹一样快的女人》，写一个香港女人行色匆匆快言快语倏忽来倏忽去。当时不觉莞尔，以为仅仅是个别人的个别表现。

随着时间推移自己也已人到中年，发现身边“像子弹一样快的女人”越来越多，慌张竟成为中年女性的一种普遍状态。

参加一个行业聚会，遇到一位美丽女子，她有着优雅的外表，36岁时已是一家国有银行的部门经理，先生则有运作良好的自家公司。我觉得她已具备了幸福女人的全部要素：美貌、财富、爱情。可就在聚会中，她表达了她的最大困惑——总觉得时间不够用。学业上，她刚读完硕士，正准备考博；单位里，她刚得到提升，担子更重，每天像救火员一样。本来，她有很多个人爱好比如拉小提琴，却没有时间享受。同时，她最大的顾虑是，自己到底要不要生孩子。她已经36岁，再不生就晚了；可如果生孩子，会打乱她的全部生活计划。“我哪有时间啊！”她说。

后来与她通过几次电话，印象最深的，仍是她那如枪弹出膛般的语速，不觉对她有些同情，但又有些置疑：朋友打来的普通电话，也需要用救火员一样的心情来面对吗？她真的是太焦虑了。

时间不够用，是她最大的困惑。这后面潜藏的焦虑是，她想做的事情太多，而现实条件又有限；她想做一个完美的人，可生活总有缺憾。有时力求完美其实是贪婪的，有所得必有所失，这是自古常理。想要鱼和熊掌兼而有之，只有在河川与山林间慌张奔命。

综观自己身边的女性，人近中年都有同样的疑惑，那就是事业家庭难以两全，往往只有一种选择：要么放下事业上的企图心，满足于一份清闲的工作，守着家庭孩子，安稳地过日子；要么就像这个朋友，只争朝夕地追赶日子，快速地说话快速地做事，获取成就感。

这中间没有高下之分。

安于自己的选择，珍惜自己想得到并已得到的，对别人的成就没有觊觎之心，这样的女人优雅而从容。如果目标单一但仍慌张，就要想想自己的能力是否足够达到目标了。而平息这种慌张要有一颗平常心来面对一切。有一句外国谚语很美好，直译即是：停下来，闻一闻玫瑰。

从含苞到绽放然后凋谢，玫瑰从来不慌张。

贫穷的心

佚　名

场面不大，是“金穗卡”做的宣传活动；纪念品也并不昂贵，是一些印着广告的彩色气球——却在刹那间失控，工作人员们目瞪口呆地看着无数的人蜂拥而来，推挤着，踩踏着，争抢着那些批发价只值三毛钱的气球。叫骂声，争执声，加上气球此起彼落的爆裂声，使整个宣传点乱成一锅粥。

目睹了全过程的朋友，在事后向我描述时，斩钉截铁地说：“这些人，都是穷人。”

我提出异议：“不见得吧，未必谁穷得需要一个气球。”

她的神色很认真：“他们的穷，不是物质上的，而是他们有一颗穷人的心。”

穷人的心是什么样子的呢？应该就是总觉得自己是穷人的那种心态吧？

也许，真正决定我们的行为的，不是我们是什么样的人，而是我们有一颗什么样的心。

胸中有一颗中国心，虽然洋装穿在身，他仍然是一个中国人。

有高贵心的人，即使陷身在淤泥里，他也可以开成一朵不染的花。

而那些说“斯是陋室，惟吾德馨”的人，便是有富人心的人吧？他们懂得自己的拥有，并且珍惜，知道那些都是人生的财富。面对贫寒、匮乏，他们总能从容面对，而所有的缺憾不过是些玉的瑕疵，生命的本质仍然是一方晶莹的玉。一颗富人心，是这世间最宝贵的财富。

可是那些有穷人心的人，即使他们已经有了半个世界的金子，他们念念不忘的是还有半个世界的金子不属于自己。有的越多，越觉得不够，越觉得自己穷，因而生生世世都不会满足，就要不断地去捞去赚，占最小最小的便宜也是好的。如果人的心海是一个宇宙，那么穷人心就是一个黑洞，无声无息地张开它的大嘴，将身边的事物全部一点点吞噬，甚至包括它本来所拥有的——可是就是用全世界来填，也填不满那深不见底的黑洞。它那样的黑，连一丝光都透不出来，它所惟一反射出来的，只是自私、贪欲和嫉妒。

有穷人心的人，才是真正的穷人。

人生二题

徐慧芬

笑与哭

人将离世时，流着眼泪问造物主："当我降生时，你赐予我哭；当我回归时，你又赐予我哭，为什么？"

"难道你这一生，没有笑过？"造物主反问。

"当然笑过：小时候为得到一块小小的糖果笑过；读了书为不易得到的一个好分数笑过；长大了为爱人甜蜜的吻笑过；为人父母了，为婴儿第一声啼哭笑过；漫长的日子里为每一份快乐笑过。可是，我这一生中，也哭过很多次呀，为一份伤害、为一种打击、为几多失落、为几许烦恼……"人这样回答。

"那么，你有没有比较一下，在一生分分秒秒累积起来的日子里，是哭的次数多，还是笑的次数多？"造物主又问。

“那当然是笑多于哭。”人沉默了一会儿，把一生中所有的苦乐放在一起掂量，无论是欢乐多于痛苦，还是痛苦大于欢乐，或者是等量齐观打个平手，都不能否认这一点。

“那么你该明白，无论是欢乐还是痛苦，只要一生中笑多于哭，人就会对人生有所留恋，正因为不舍，才会有临终的眼泪。没有生，何有死？没有哭，焉有笑？而降生时赐予你哭，正是为你一生中学会笑做准备。有了哭做人生的底色，以后的笑才能显现。如此，人生的两头哭是合理的。”造物主如是说。

找快乐

人出世的时候，拳头捏得紧紧的。那时上帝告诉他，人生的目的是寻找一种东西，那种东西叫“快乐”。上帝给了人一只布满筛眼的篮子，上帝说你必须把它握紧，那是给你装快乐用的。上帝又告诉人，寻找快乐的途径有两条：一条路平坦些，到处都有快乐可拾，不过那都是些小快乐；另一条路上充满艰难险恶，不过倒有大快乐可得。

人们各走各的路。寻找小快乐的总是容易得到，找到了急忙往篮子里放。然而，刚放进去，快乐就从筛眼里漏掉了。这样一边放一边掉，一边掉一边又放，欢喜伴着叹息。寻找大快乐的，一路上披荆斩棘很是辛苦，但大快乐一直在诱惑着他，这样倒也有劲。找啊找，年复一年，终于找到一些了。但是当大快乐还未装满篮子的时候，他发现自己已经老了，身上的力气差不多快耗完了，享受大快乐的时日已经不多了。于是，欢喜之后也有了叹息。

后来，两条道上寻找快乐的人都到了天堂里，经过上帝的点拨，他们才明白，其实他们寻找的快乐有一个共同的名字，这个名字叫希望。

网络很浅，孤独很深

周　舟

有些东西，你可以日日夜夜与之相对。但其实，你只是在消磨——消磨时间和孤独。

像浮在水面的泡沫。太浅，所以无法触及灵魂。

我说的，可以是网络。

开始是在什么时候，五年前？还是六年前？

初见时繁华耀眼，然后光影散尽，感到厌倦。

有天早上突然发现，我拥有很多个邮箱，但是没有人给我写信。我和很多不认识的人聊过天，但是我想不起来聊过什么。我到很多地方注册了会员，但是忘记了密码。

我厌倦网络，是因为它太复杂。

在网络上，你可以去看，可以去想，可以去记忆，可以去相信，但是不要试图去拥有。那是一个虚无的世界，没有什么东西真正属于你。

一直以来，我去过的网站，只有可数的几个。

通常打开电脑，没有新的邮件，于是叹口气，放上一首歌，去看文章。自己的，别人的。有的时候会发一个帖子。大多时候只是看，心里暗暗点评，但不说话。

网上有太多地方可以去，有太多事情可以做，有太多歌曲可以听，有太多游戏可以玩儿。

可是我不想。哪里都不想去，什么都不想做。不想听，也不想玩儿。

有人问我的QQ，我说我不上的。他问那你平时怎么和别人聊天，我说我为什么要和别人聊天。

可是我为什么要上网？

如果除去为了工作，还有原因的话，那又是什么？

为什么有的人可以日日夜夜泡在上面，为什么有的人会将一些虚幻的数字视为生命。

不管你开心还是悲伤，不管你苍老还是年轻，不管你无聊还是充实，你都可以去上网。

但是你不可以孤独。

网络可以让开心的人悲伤，让悲伤的人开心；也可以让开心的人更开心，让悲伤的人更悲伤。

但是它只能让孤独的人更孤独。

我知道，不管我上网去哪里，不管去做什么，其实我不过是在等待。

或是怀念。

看着论坛里的文章不断地更新，时常会恍惚，觉得自己好像是孤魂野鬼，飘荡在不属于自己的世界。

那是一个太复杂的世界。我不喜欢。

但是不可以离开，因为要依赖它传达的讯息。

它无法让我真正的悲伤，无法让我真正的快乐。因为归根到底，那只不过是一堆符号和数字。

只有一个人才可以让一个人悲伤，只有一个人才可以让一个人快乐。

网络，那是薄冰上的行走，泡沫上的舞步。

一分钟

佚　名

一分钟，可以用来微笑，对他人，对自己，对生活微笑。

一分钟，可以用来看路，观赏美丽的花朵，感受湿润的草地，或者欣赏清澈透明的流水。

一分钟，可以用来静静倾听，或者歌唱。

一分钟，可以紧紧握住他人的手，赢得一个新朋友。

一分钟，可以感受肩负的责任，等待的焦虑，忧郁的悲哀，失望的无奈，孤独的凄凉，失败的痛苦，胜利的欢乐……

一分钟可以用来鼓励一个人使之不气馁，一分钟足以让人选择重新生活。

一分钟关注足以使儿子、父亲、朋友、学生、老师等感到幸福，仅仅一分钟便足以构筑永恒。

一分钟有时似乎无足轻重，但当我们向一位永远离去的朋友致敬时就会重视这一分钟；当上班是否迟到取决于这一分钟时，我们就会珍惜这一分钟；我们也希望生活能给予我们生死离别的人一分钟。

在一分钟里，人们可以去爱，寻找，分享，宽恕，等待，相信获胜……

在短短的一分钟里，一个人说个“是”，或另一个人说个“不”，都可能改变你的整个生活。

一分钟似乎非常短暂，但可能在我们的生活中留下深深的印痕。

有人说过：“要把每一分钟都当成最后一分钟。”如果大家平时都能记住这句话，我们就会学会珍惜生活，珍惜每一分钟，让生命之钟记录你度过的每一分钟！

一天之后，已成往事

张小娴

无论多么风光或多么糟糕的事情，一天之后，便会成为过去。

所以，何必太在乎呢?

你的风光或你的失意，只有你自己记得最清楚，能够放开怀抱，便没有什么大不了的。读书时很爱演话剧。那时候，花了好几个月筹备和彩排一个戏，结果，只演一场。戏演完了，我们彻夜在剧院里收拾东西。那一刻的感受无限寂寞。

做了那么多准备工作，投入了那么多的心血，付出了那么多的努力。一夜之后，灯火依然阑珊。

后来，不再喜欢演话剧了。

这些年来做了很多不同的事情。每一次，都很在乎成果，也很在乎自己的表现。那么紧张，自然会给自己和身旁的人很大压力。渐渐，我发现我把问题看得太严重了。

我们习惯了什么事情都联想到一生一世。

我以后怎么见人？

我这辈子怎么办？

别人会怎么看我？

其实，除了你自己之外，有谁更在乎呢？快乐或失意。一天之后，已成往事。

在黑暗中打个盹

范晓波

一个朋友深夜开车出车祸飞出了道路，车子坏了，腿也伤得动不了，偏偏手机又没电无法呼救。他独自在寒冷的秋雨和荒野的黑暗中待了8小时，最终盼到了营救人员。我们感叹一个受伤的人怎样在被孤独放大了许多倍的恐惧中熬过漫长的8小时？！他的回答却令人吃惊："我先检查了身体，发现没有生命危险又无法实施呼救后，就靠在车子的后座上睡了一觉，以免没有效果的盲动使伤口出血过多带来真正的危险。"

在黑暗中打个盹。朋友说，这就是他对付480分钟黑暗最有力的武器。

他的叙述改写了我对去年一起探险事故的遗憾。几个年轻人在黑漆漆的山洞里迷失了方向，被黑暗吞没的恐慌追赶着他们在洞内没有目标地狂跑，结果离洞口越来越远，最后困死洞中。救援人员后来分析，他们最初迷路的地点离洞口其实只有十米左右，如果当时就待在原地让慌乱的心冷静下来，完全能感觉到光明在不远处的隐约跳跃。

朋友的幸运和几个年轻人的不幸让我想起时下很流行的一句话——消极进取。看上去逻辑有些混乱，而人生往往就是这样，当你遭遇到工作和生活中种种暂时的黑暗时，并不一定要立即采取对抗行动，在你尚未找到穿越黑暗的方向和途径时，先屏住呼吸在黑暗中打个盹也许是一种更有效的进取。只是，它表面上有些消极，并且，需要大勇气和大境界做底气。

在二月里那个和玫瑰有关的节日，一些年轻的朋友则在失恋的黑暗中打着盹。他们闻着别人的花香看守着自己的孤独，把一个没有情人的情人节过得馨香四溢。有人对我说，如果为了躲避失恋的阴影而草率地开始新的爱情，结果就会像一个诗人的名言一样：从黑暗到黑暗。并且，往往是从黑暗逃往更黑的黑暗。

看来，需要在黑暗中打个盹的，除了灾难降临时的理智、失意时的信心，还应当包括寒风中一束束受了委屈无家可归的玫瑰。

最好的年龄

麦达德·赖茨

几岁是生命中最好的年龄呢?

电视节目拿这个问题问了很多的人。一个小女孩说:“两个月，因为你会被抱着走，你会得到很多的爱与照顾。”

另一个小孩回答:“3岁，因为不用去上学。你可以做几乎所有想做的事，也可以不停地玩耍。”

一个少年说:“18岁，因为你高中毕业了，你可以开车去任何想去的地方。”

一个女孩说:“16岁，因为可以穿耳洞。”

一个男人回答说:“25岁，因为你有较多的活力。”这个男人43岁。他说自己现在越来越没有体力走上坡路了。他15岁时，通常午夜才上床睡觉，但现在晚上九点一到便昏昏欲睡了。

一个3岁的小女孩说生命中最好的年龄是29岁。因为你可以躺在屋子里的任何地方，虚度所有的时间。有人问她：“你妈妈几岁？”她回答说：“29岁。”

某人认为40岁是最好的年龄，因为这时是生活与精力的最高峰。

一个女士回答说45岁，因为你已经尽完了抚养子女的义务，可以享受含饴弄孙之乐了。

一个男人说65岁，因为可以开始享受退休生活。

最后一个接受访问的是一位老太太，她说：“每个年龄都是最好的。享受你现在的年龄。”

爱的境界

李　春

爱情的最高境界是什么样的呢?

想来却糊涂了。《穆斯林的葬礼》中楚燕潮那悲怆的泪水应该是美到了极致。失去了，但毕竟还曾经拥有过，毕竟还轰轰烈烈、毫无保留地爱过。数十年后，小桃林里那悠扬的《梁祝》又一次响起，历经岁月的磨砺，这份爱历久弥真。尽管这次演奏的听众只有一人，但那旋律却依然忘我、深情，纯洁如斯的爱情到此，长眠于地下的新月啊，你应该感到幸福了吧。

古人云：执子之手，与子偕老。我心肃然。

一生可能要平平淡淡，一生可能要贫穷落魄，一生可能要跌宕坎坷，一生亦可能要位显跋扈。但这又如何？人终其一生，不过一抔黄土、一段烟云罢了。在大悲大喜的人生里，又有什么能比感情的牵挂最能使人刻骨铭心呢？“十年生死两茫茫，不思量，自难忘”，那又是怎样的执著与领悟啊！一心去获取名利，而淡忘了爱情，是可悲的。

基于这一点，又想到了一位作家的箴言：一生只跟一个人睡觉，是件很幸福的事情。言语虽浅薄，但也道出了爱情的最高最美的境界。

“我在床上，饭在锅里”，米歇儿·玛格丽特这样给她的丈夫表达爱意，里面蕴藏的是多么平实的爱情啊!

台湾作家张晓风曾经说过：“生命是一项随时可以中止的契约，爱情在最醇美的时候，却可以跨越生死。”这不禁又让我想起了梁山伯与祝英台，想起了罗密欧与朱丽叶。至于他们爱的程度有多深，有多轰轰烈烈，我想不是文字可以表达清楚的。

无论是平实淳朴的爱情还是热烈奔放的爱情，只是形式上的不同，它们的实质是一样的，其最高的境界乃“真、纯、久”。

喧嚣的都市，又有多少人真正找到了属于自己的归宿？悲哀！从白雪公主的浪漫童话里长大的我们，再保留一点爱的激情吧，毕竟，在这世上我们真正能把握的，只有自己的感情。

我很幸运也很幸福地找到了自己的爱人，我们会在夜深人静时不约而同地做同一个梦，那就是为对方吟诵那首《白发吟》：亲爱的，我年已渐老 / 白发如霜银光耀 / 惟你永是我爱人 / 永远美丽又温柔……

最感人的理想

蔡 成

难得回一趟老家，我到曾经读过4年书的金盆小学看望年迈的启蒙老师。

晚上与老师东拉西扯地闲聊。聊着聊着，就随手翻看起桌上的一沓作文本来。老师说，孩子不多，整个二年级才一个班，共24个学生。

在乡下的学校，二年级孩子刚学习写作文。本上的作文都很短，大多干巴巴的一页就完事。乡下孩子终究不比城市孩子，想像力极其匮乏，那些苍白的文字实在无味。但我翻着翻着，不经意间就停下来开始仔细读一篇《我的理想》。

粗糙的格子本上写道："阿爹还没走（当地称人死为"走"）的时候，他对我说，你要好好学习天天向上，长大做个科学家；阿妈却要我长大后做个公安（人员），说这样啥都不怕。我不想当科学家，也不想当公安。我的理想是变成一只狗，天天夜里守在家门口。因为阿妈胆小，怕鬼，我也怕。但阿妈说，狗不怕鬼，所以我要做一只狗，这样阿妈和我就都不怕了……"

作文短，刚好一页，字歪歪斜斜的。那一页，老师画了个大大的红叉，没有打分，估计是严重的不及格了。是呀，普天之下有谁的理想是成为一只狗呢？做老师的，一定会斥责这孩子……

远离贫困的家乡，我已在城里生活好多年了。经历过各种世相人情，自觉已是刀枪不入，很难再有什么事能轻易让我感动。然而，那一天，我被这个二年级学生的“理想”震撼了，觉得鼻子酸酸的。我敢说，这是世上最感人的理想！

致谢

编辑出版“读者丛书”是一项有难度的工作。首先，提出选题是需要创意的。这套丛书是在读者杂志社同仁于1997年出版的读者丛书的基础上编辑而成的，因此，这里面蕴涵着他们的智慧和汗水。其次，编选文章也是有难度的，从《读者》杂志上选出精品，就如同从节日丰盛的菜单上挑出一道佳肴一样困难，样样都是精品，难以割舍。所以，“读者丛书”付梓出版了，但我们并没有一种如释重负的感觉，而是诚惶诚恐，恐怕辜负了各位同仁和广大读者的厚望。因为我们工作中肯定还存在很多纰漏和不足，在此恳请各位同仁和广大读者见谅并批评指正！

“读者丛书”之所以能出版，首先是得到了读者出版集团、读者杂志社各位领导和同仁的大力支持和鼓励，没有他们的关心和帮助，编辑出版这套丛书是不可能的。因此，在丛书出版之际，首先向关心、支持这套丛书编辑出版工作的各位领导和同仁表示最诚挚的感谢！

“读者丛书”编选了四百多篇文章，数量庞大，没有各位作者的理解和大力支持，这套丛书也是不可能顺利出版的。在这些作者之中，有知名的作家，也有正在成长的普通作者，他们对作品的授权和对编辑出版工作的认可使我们消除了后顾之忧。对他们的理解和大力支持，我们表示最诚挚的谢意！但由于种种原因，我们通过各种方式和渠道还是和一部分作者没有取得联系，在此，我们表示深深的歉意！我们真诚地希望这些作者见到图书之后，能和我们联系。我们的联系方式是：甘肃人民出版社图书出版中心（兰州市南滨河东路520号，730030，党晨飞，0931—8773144）。

“读者丛书”虽然付梓出版了，但这只是一个开始，而不是结束。我们希望社会各界朋友，各位作者和广大读者能一如既往地关心和支持我们，我们愿与各位朋友携手并肩前行……

读者丛书编辑组

2011年3月